RICARDO

Parce qu'on a tous de la visite...

Catalogage avant publication de Bibliothèque et
Archives nationales du Québec et Bibliothèque et Archives Canada

Larrivée, Ricardo
Parce qu'on a tous de la visite : cuisiner en toutes circonstances
Comprend un index.
ISBN 978-2-923194-96-7
1. Cuisine rapide. 2. Cuisine des jours de fête. I. Titre.

TX833.5.L37 2008 641.5'55 C2008-941766-6

Du même auteur aux Éditions La Presse
La chimie des desserts, 2007, coauteure Christina Blais
Ma cuisine week-end, 2004

Dépôt légal - 4e trimestre 2008
ISBN 978-2-923194-96-7
Imprimé et relié au Canada

Les Éditions La Presse, 7, rue Saint-Jacques
Montréal (Québec), H2Y 1K9, 514 285-4428

Président, André Provencher

L'éditeur bénéficie du soutien de la Société de développement des entreprises culturelles du Québec (SODEC) pour son programme d'édition et pour ses activités de promotion.

L'éditeur remercie le gouvernement du Québec de l'aide financière accordée à l'édition de cet ouvrage par l'entremise du Programme de crédit d'impôt pour l'édition de livres, administré par la SODEC.

Nous reconnaissons l'aide financière du gouvernement du Canada par l'entremise du Programme d'aide au développement de l'industrie de l'édition (PADIÉ) pour nos activités d'édition.

photographie
CHRISTIAN LACROIX

direction de la création
SONIA BLUTEAU

direction du contenu
BRIGITTE COUTU

AUTEUR
Ricardo Larrivée

DIRECTEUR DE L'ÉDITION
Martin Balthazar

DIRECTRICES ARTISTIQUES ET DESIGNERS
Sonia Bluteau, Caroline Nault

PHOTOGRAPHE
Christian Lacroix
lisemadore.com

STYLISTE CULINAIRE
Anne Gagné

STYLISTE ACCESSOIRES
Sylvain Riel

GRAPHISTES
Caroline Blanchette, Ginette Cabana

ASSISTANT STYLISTE CULINAIRE
Étienne Marquis

ASSISTANT PHOTO
François-Nicolas Dionne

ILLUSTRATRICE
Caroline Nault

ÉQUIPE CUISINE
Kareen Grondin, Étienne Marquis
Nataly Simard, Antoine Côté-Robitaille

RÉVISEURE
Christine Dumazet

Pour leur précieuse collaboration, nous tenons à remercier :
Ares, Arthur Quentin, L'Atelier du Presbytère, Canadian Tire, Comme la vie avec un accent, Déco Découverte, Després Laporte, Farfelu, HomeSense, IKEA, La Baie, La Maison d'Émilie, Les Touilleurs, Métro Collin, Moutarde Décor, Pier 1, Pierre Belvédère, Quincaillerie Dante, Stacaro, Trois Fois Passera, Vinum Design, Z'axe, Zone.

ding *dong*

Qui n'a jamais frémi d'angoisse au son du carillon +++ La tante Henriette qui arrive à l'improviste, de préférence vers 17 h +++ L'ami Bernard qui s'amène toujours en retard avec une nouvelle conquête au régime, végétarienne ou souffrant d'allergie alimentaire rare +++ La belle-maman si gentille qui n'aime rien d'autre que SA cuisine +++ Bref, je dédie ce livre à tous ceux et celles qui adorent recevoir ou qui ont peur de recevoir et qui se sont dit un jour : c'est la dernière fois ! Finalement, on recommence toujours parce que recevoir, partager un repas entre amis, ça fait partie des bonheurs de la vie. Et parce qu'on a tous de la visite. +++ RICARDO

SOM
MAI
RE

Recevoir à souper, c'est exigeant. On salit une tonne de vaisselle, habituellement la belle, la fragile, celle qui ne va pas au lave-vaisselle. On tache la nappe blanche. On retrouve plein de miettes de chips entre les coussins du divan. Mais, somme toute, l'opération reste cantonnée dans le périmètre salon-cuisine-salle-à-manger. C'est une surface aisément gérable, le danger demeurant presque toujours à vue. Mais dès qu'un imprévu (une tempête de neige, de la parenté éloignée, le débouchage de la treizième bouteille de vin) nous force à garder la visite pour la nuit, on entre en territoire plus périlleux. La maison, qui est déjà un joyeux bordel, se transforme en garderie, les convives devenant subitement aussi autonomes que des bambins aux couches. Va chercher une serviette à l'un, trouve un oreiller à l'autre, augmente le thermostat du chauffage pour « matante » (ce qui nous fait tous suffoquer) et explique au cousin comment fonctionne la télécommande. Enfin, vous vous couchez épuisé et, bien sûr, le dernier. Mais ce n'est rien, car le lendemain, vous devez aussi les nourrir. Eh oui, ils ne mangent pas tout seuls, étant trop gênés pour ouvrir le frigo. Heureusement, il y a moyen de voir la vie autrement. On peut même s'amuser. Après tout... on les aime bien.

AH NON,
ils couchent
ICI!

recettes pour les déjeuners-brunchs

SALADE DE PAMPLEMOUSSE ET D'ORANGE « *WITH A TWIST* »

Préparation 30 MINUTES *Portions* 6

1/4 de melon miel, pelé
2 pamplemousses roses
2 pamplemousses blancs
4 oranges
Le zeste râpé de 1/2 lime
15 ml (1 c. à soupe) de sucre (facultatif)
Feuilles de menthe, pour décorer

1 À l'aide d'un économe, faire des copeaux de melon miel. Les couper en deux au besoin. Réserver.
2 Peler les pamplemousses et les oranges à vif. Pour ce faire, couper les deux extrémités du fruit. Déposer le fruit à plat sur une planche. Couper la pelure le plus près possible de la chair. Il ne doit rester aucune membrane blanche. Glisser ensuite la lame du couteau entre chacune des membranes afin de lever les suprêmes. Travailler au-dessus d'un bol pour récupérer tout le jus.
3 Déposer les agrumes dans le bol. Ajouter le melon, le zeste de lime et le sucre. Remuer délicatement. Réserver au froid jusqu'au moment de servir.
4 Décorer de feuilles de menthe.

SCONES AUX CANNEBERGES

Préparation 20 MINUTES *Cuisson* 15 À 20 MINUTES *Rendement* 20 SCONES

Scones

625 ml (2 1/2 tasses) de farine tout usage non blanchie
125 ml (1/2 tasse) de sucre
10 ml (2 c. à thé) de poudre à pâte
2,5 ml (1/2 c. à thé) de sel
125 ml (1/2 tasse) de beurre non salé froid, coupé en dés
180 ml (3/4 tasse) de lait de beurre
125 ml (1/2 tasse) de canneberges séchées

Dorure

30 ml (2 c. à soupe) de lait de beurre
15 ml (1 c. à soupe) de sucre

1 Placer la grille au centre du four. Préchauffer le four à 200 °C (400 °F). Tapisser une plaque à biscuits de papier parchemin.
2 POUR LES SCONES Au robot, mélanger la farine, le sucre, la poudre à pâte et le sel. Ajouter le beurre et mélanger jusqu'à ce qu'il ait la grosseur de petits pois. Ajouter le lait de beurre et mélanger quelques secondes, juste assez pour humecter la farine. Transférer dans un bol et incorporer les canneberges sans trop travailler la pâte.
3 Sur un plan de travail fariné, abaisser la pâte avec les doigts ou avec un rouleau à pâte à environ 2 cm (3/4 po) d'épaisseur. Couper la pâte à l'aide d'un emporte-pièce de 5 cm (2 po) de diamètre. Déposer les disques de pâte sur la plaque en les espaçant.
4 POUR LA DORURE Badigeonner les scones de lait de beurre et saupoudrer de sucre. Cuire au four de 15 à 20 minutes ou jusqu'à ce qu'ils soient dorés. Laisser refroidir sur une grille.
5 Servir avec le beurre au miel et à l'orange (voir recette p. 023). Les scones se congèlent.

Mado: ajouter zeste d'orange

BEURRE AU MIEL ET À L'ORANGE

Préparation 5 MINUTES *Réfrigération* 10 MINUTES *Rendement* 150 ML (2/3 TASSE)

125 ml (1/2 tasse) de beurre, ramolli
30 ml (2 c. à soupe) de miel
15 ml (1 c. à soupe) de jus d'orange
Le zeste râpé de 1 orange

1 Dans un bol ou au petit robot culinaire, mélanger tous les ingrédients jusqu'à ce que le tout soit homogène. Transvider dans un ramequin et réfrigérer environ 10 minutes.
2 Servir avec des rôties, des croissants ou les scones aux canneberges (voir recette p. 021).

CUPS

RECETTE P027

SMOOTHIE MANGUE ET FRAISE

Préparation 10 MINUTES

Les jours où vous n'aurez pas envie de déjeuner, vous pourrez le préparer en portion individuelle (c'est simple et nutritif). Je vous donne la recette pour 1 ou 6 portions.

Portion 1	*Portions* 6
Smoothie à la mangue	
125 ml (1/2 tasse) de mangues surgelées	750 ml (3 tasses)
30 ml (2 c. à soupe) de tofu mou	180 ml (3/4 tasse)
75 ml (1/3 tasse) de lait	500 ml (2 tasses)
10 ml (2 c. à thé) de sucre ou de miel	60 ml (1/4 tasse)
Smoothie à la fraise	
125 ml (1/2 tasse) de fraises surgelées	750 ml (3 tasses)
30 ml (2 c. à soupe) de tofu mou	180 ml (3/4 tasse)
60 ml (1/4 tasse) de lait	375 ml (1 1/2 tasse)
10 ml (2 c. à thé) de sucre ou de miel	60 ml (1/4 tasse)

1 POUR LE SMOOTHIE À LA MANGUE Au mélangeur, réduire tous les ingrédients en purée lisse. Verser le smoothie à la mangue dans un ou six grands verres (d'environ 310 ml ou 1 1/4 tasse).

2 POUR LE SMOOTHIE À LA FRAISE Au mélangeur, réduire tous les ingrédients en purée lisse.

3 Verser le smoothie à la fraise, doucement, dans le(s) verre(s), sur le dos d'une cuillère.

4 Boire à la paille.

CONFITURE DE FRAISES EXPRESS AU SIROP D'ÉRABLE

Préparation 10 MINUTES *Cuisson* 18 MINUTES *Rendement* ENVIRON 500 ML (2 TASSES)

La confiture des gourmands paresseux. On met dans une casserole trois parties de fruits (fraises, framboises, bleuets) pour une partie de sirop d'érable. On laisse mijoter 15 minutes. C'est tout. C'est bon. La vie est belle. Merci Marie-Soleil de m'avoir fait goûter à cette confiture par une belle journée d'été au chalet.

750 ml (3 tasses) de fraises fraîches coupées en quartiers ou surgelées (ou framboises, bleuets...)
250 ml (1 tasse) de sirop d'érable

1 Dans une casserole, porter à ébullition les fraises et le sirop d'érable. Cuire à feu moyen environ 15 minutes ou jusqu'à ce que la texture épaississe légèrement. Laisser refroidir.

PURE

RECETTE P030

GALETTES DE SARRASIN EN BURRITOS

Préparation 30 MINUTES *Cuisson* 30 MINUTES *Portions* 8 À 10

Galettes de sarrasin
1,5 litre (6 tasses) de lait
3 œufs
750 ml (3 tasses) de farine de sarrasin
10 ml (2 c. à thé) de poudre à pâte
Sel

Garnitures
2 oignons, hachés
454 g (1 lb) de champignons café, émincés
8 tranches de bacon, hachées grossièrement
60 ml (1/4 tasse) d'huile d'olive
15 ml (1 c. à soupe) de ciboulette fraîche ciselée
675 g (1 1/2 lb) de chair de saucisse (Toulouse, italienne, à déjeuner, etc.)
500 ml (2 tasses) de cheddar fort, râpé
375 ml (1 1/2 tasse) de compote de pommes
Mélasse

1 POUR LES GALETTES DE SARRASIN Préchauffer le four à 100 °C (200 °F) pour réserver les galettes et les garnitures au chaud.
2 Dans un bol, fouetter tous les ingrédients jusqu'à ce que le mélange soit lisse et homogène. Durant la cuisson des galettes, remuer la pâte fréquemment pour éviter que la farine ne redescende au fond.
3 Dans une poêle antiadhésive de 23 cm (9 po) bien beurrée, cuire les galettes des deux côtés, en versant 60 ml (1/4 tasse) de pâte pour chacune. Empiler les galettes dans une assiette de service. Couvrir de papier d'aluminium et réserver au chaud.
4 POUR LES GARNITURES Dans une grande poêle antiadhésive, dorer les oignons, les champignons et le bacon dans la moitié de l'huile. Ajouter la ciboulette. Saler et poivrer. Verser dans un bol de service. Couvrir et réserver au chaud.
5 Dans la même poêle, faire revenir la chair de saucisse à feu moyen dans le reste d'huile en défaisant la chair à la fourchette. Réserver dans un bol de service au chaud.
6 Placer le fromage, la compote de pommes et la mélasse dans des bols différents.
7 Déposer les galettes et les garnitures au centre de la table et laisser les convives garnir eux-mêmes leurs galettes.

SUNDAE BRUNCH

Préparation 10 MINUTES *Macération* 10 MINUTES *Portions* 4

375 ml (1 1/2 tasse) de framboises fraîches
45 ml (3 c. à soupe) de sucre
15 ml (1 c. à soupe) de jus de citron
125 ml (1/2 tasse) de granola (voir recette ci-dessous)
500 ml (2 tasses) de yogourt glacé à la vanille

1 Déposer quatre verres à sundae au congélateur 10 minutes.
2 Entre-temps, dans un bol, mélanger délicatement les framboises, le sucre et le jus de citron. Laisser macérer 10 minutes.
3 Déposer une boule de yogourt glacé dans chaque verre à sundae. Y répartir les trois quarts du granola et des framboises. Ajouter une boule de yogourt glacé. Garnir avec le reste du granola et des framboises. Servir en guise de dessert pour un brunch. Les enfants adorent.

GRANOLA

Préparation 15 MINUTES *Cuisson* 35 À 40 MINUTES *Rendement* ENVIRON 1,5 LITRE (6 TASSES)

750 ml (3 tasses) de flocons d'avoine (gruau)
250 ml (1 tasse) d'amandes en bâtonnets
125 ml (1/2 tasse) de pistaches non salées
125 ml (1/2 tasse) de graines de tournesol
125 ml (1/2 tasse) de sirop d'érable
60 ml (1/4 tasse) de beurre non salé, fondu
125 ml (1/2 tasse) de raisins secs
125 ml (1/2 tasse) de canneberges séchées

1 Placer la grille au centre du four. Préchauffer le four à 170 °C (325 °F). Tapisser une plaque à biscuits de papier parchemin.
2 Dans un bol, mélanger l'avoine, les amandes, les pistaches et les graines de tournesol. Ajouter le sirop, le beurre et bien mélanger. Répartir sur la plaque. Cuire au four de 35 à 40 minutes en remuant toutes les 10 minutes, ou jusqu'à ce que le granola soit bien doré. Laisser refroidir complètement. Ajouter les fruits séchés.
3 Servir comme céréales ou en garniture du Sundae brunch (voir recette ci-dessus).

RECETTE P035

TARTE COURTEPOINTE AUX ASPERGES, AUX ŒUFS ET AU JAMBON

Préparation 30 MINUTES *Réfrigération* 30 MINUTES *Cuisson* 45 MINUTES *Portions* 6

Je cherche toujours une façon à toute épreuve pour cuire des œufs pour un grand groupe en même temps. Non seulement ce plat est vraiment bon, mais il est aussi spectaculaire.

400 g (14 oz) de pâte feuilletée du commerce, décongelée
2 oignons, hachés
30 ml (2 c. à soupe) d'huile d'olive
225 g (1/2 lb) de tranches de jambon Forêt-Noire, émincées
125 ml (1/2 tasse) de crème sure
60 ml (1/4 tasse) de moutarde à l'ancienne
24 à 36 petites asperges vertes de 12 cm (5 po) de longueur, parées
24 à 36 petites asperges blanches de 12 cm (5 po) de longueur, parées
6 œufs
Sel et poivre

1 Tapisser de papier parchemin une plaque à biscuits de 43 x 30 cm (17 x 12 po).

2 Sur un plan de travail fariné, abaisser la pâte en un rectangle de 43 x 30 cm (17 x 12 po). Déposer la pâte sur la plaque. Replier le rebord de la pâte vers l'intérieur pour former une bordure de 1 cm (1/2 po). Réfrigérer 30 minutes.

3 Dans une poêle, dorer les oignons dans l'huile. Saler et poivrer. Laisser tiédir.

4 Dans un bol, mélanger les oignons, le jambon, la crème sure et la moutarde. Réfrigérer.

5 Dans une casserole d'eau bouillante salée, blanchir les asperges de 1 à 2 minutes. Les plonger dans l'eau glacée et bien égoutter. Réserver.

6 Placer la grille dans le bas du four. Préchauffer le four à 200 °C (400 °F).

7 Répartir la garniture au jambon sur la pâte. Placer la plaque le côté le plus long parallèle au plan de travail.

8 POUR LE MONTAGE Imaginer la tarte divisée en six carrés de 12 cm (5 po). Dans un premier carré, déposer environ huit asperges vertes à la verticale. Dans le deuxième carré, placer huit asperges blanches à l'horizontale puis huit asperges vertes à la verticale dans le dernier carré. Procéder de la même façon dans le haut de la pâte en prenant soin de placer les asperges en sens contraire pour créer l'effet courtepointe.

9 Cuire au four 25 minutes. Retirer du four. Casser un œuf sur chaque carré. Poursuivre la cuisson environ 10 minutes. Couper en six carrés et servir.

RECETTE P039

CLUB SANDWICHS DÉJEUNER

Préparation 15 MINUTES *Cuisson* 20 MINUTES *Portions* 6

Rien n'est plus salissant que de cuire du bacon dans la poêle. Mon truc pour éviter de graisser toute la cuisine consiste à déposer les tranches sur une plaque à biscuits et à les cuire au four. Vous n'aurez pas à les surveiller autant, et elles resteront bien droites. Vous passerez pour un as du stylisme culinaire.

18 tranches de bacon (environ 1 paquet de 454 g / 1 lb)
12 œufs, légèrement battus
180 ml (3/4 tasse) de mayonnaise
Sel et poivre
18 tranches de pain blanc carré
18 tranches de tomate
12 feuilles de laitue Boston
Cure-dents

1 Placer la grille au centre du four. Préchauffer le four à 220 °C (425 °F). Tapisser une plaque de cuisson de papier parchemin. Tapisser un plat de cuisson de 38 x 25 cm (15 x 10 po) d'une feuille de papier parchemin en la laissant dépasser de chaque côté. Huiler la feuille et les côtés du plat.
2 Étaler les tranches de bacon sur la plaque de cuisson. Cuire au four de 12 à 14 minutes ou jusqu'à ce qu'elles soient dorées et croustillantes. Égoutter sur du papier absorbant. Réserver.
3 Dans un bol, mélanger les œufs et 60 ml (1/4 tasse) de mayonnaise. Saler et poivrer.
4 Verser le mélange d'œufs dans le plat de cuisson et cuire au four de 10 à 12 minutes ou jusqu'à ce qu'il soit légèrement humide. Tailler l'omelette en six. Réserver. Éteindre le four et y placer le bacon pour le réchauffer.
5 POUR LE MONTAGE Griller trois tranches de pain et les tartiner de mayonnaise. Sur une tranche de pain, placer l'œuf et trois tranches de bacon. Couvrir d'une deuxième tranche de pain. Étaler trois tranches de tomate et deux feuilles de laitue. Terminer par une troisième tranche de pain. Insérer un cure-dent au centre des quatre coins du sandwich et le couper en triangle. Répéter l'opération pour préparer les autres club sandwichs.

OMELETTE AUX TÊTES DE VIOLON

Préparation 20 MINUTES *Cuisson* 15 MINUTES *Portions* 4

Cette « omelette du jour » peut se préparer avec le légume de votre choix. Il suffit de sauter le légume choisi au préalable dans un peu de beurre ou d'huile d'olive. Ajoutez-y du fromage, et vous m'en reparlerez. Puisque vous n'êtes pas dans une cuisine de resto ni sur une piste de cirque, oubliez les acrobaties de chef et l'idée de faire sauter une omelette géante pour la retourner. Sortez plutôt deux poêles et divisez la recette en deux au moment de la cuisson. C'est beaucoup plus simple et agréable à partager.

Garniture
225 g (1/2 lb) de têtes de violon
225 g (1/2 lb) de bacon, coupé en lardons
1/2 oignon, émincé
15 ml (1 c. à soupe) de ciboulette fraîche, ciselée
Sel et poivre

Omelette
12 œufs, légèrement battus
60 ml (1/4 tasse) de crème 15 % ou de lait
15 ml (1 c. à soupe) de persil plat ciselé
30 ml (2 c. à soupe) de beurre
375 ml (1 1/2 tasse) de fromage gruyère râpé (facultatif)

1 POUR LA GARNITURE Dans une casserole d'eau bouillante salée, cuire les têtes de violon 2 minutes. Égoutter et rincer sous l'eau froide. Réserver.
2 Dans une poêle, dorer le bacon. Retirer le gras. Ajouter l'oignon et faire revenir jusqu'à tendreté. Ajouter les têtes de violon et la ciboulette. Poursuivre la cuisson de 1 à 2 minutes. Saler et poivrer. Réserver.
3 POUR L'OMELETTE Dans un bol, mélanger les œufs, la crème et le persil. Saler et poivrer.
4 Dans deux poêles antiadhésives de 30 cm (12 po) bien chaudes, faire fondre le beurre. Y répartir les œufs. Cuire à feu moyen de 1 à 2 minutes en brisant le fond de l'omelette avec une spatule pour faciliter la cuisson. Lorsque les bords de l'omelette, et non le centre, sont presque cuits, déposer la moitié de la garniture et du fromage sur une moitié de l'omelette. À l'aide d'une spatule, replier l'autre côté vers la garniture et faire glisser sur une assiette.

MUFFINS AU BEURRE D'ARACHIDES, AUX BANANES ET À LA CONFITURE DE FRAISES

Préparation 20 MINUTES *Cuisson* 30 MINUTES *Rendement* 12

1 banane bien mûre
10 ml (2 c. à thé) de jus de citron
375 ml (1 1/2 tasse) de farine tout usage non blanchie
7,5 ml (1 1/2 c. à thé) de poudre à pâte
125 ml (1/2 tasse) de beurre non salé, ramolli
250 ml (1 tasse) de cassonade
125 ml (1/2 tasse) de beurre d'arachides
2 œufs
125 ml (1/2 tasse) de lait
2,5 ml (1/2 c. à thé) d'extrait de vanille
75 ml (1/3 tasse) d'arachides grillées hachées
2 bananes, tranchées
Confiture de fraises maison (voir recette p. 027) ou du commerce

1 Placer la grille au centre du four. Préchauffer le four à 190 °C (375 °F). Chemiser 12 moules à muffins avec des caissettes en papier.
2 Dans un bol, écraser grossièrement à la fourchette la chair de la banane avec le jus de citron. Réserver.
3 Dans un autre bol, mélanger la farine et la poudre à pâte. Réserver.
4 Dans un troisième bol, crémer le beurre avec la cassonade et le beurre d'arachides au batteur électrique. Ajouter les œufs, un à la fois, et battre jusqu'à ce que le mélange soit homogène.
5 À basse vitesse, mélanger les ingrédients secs en alternant avec la purée de banane, le lait et la vanille.
6 Répartir la pâte dans les moules. Saupoudrer d'arachides. Cuire au four environ 30 minutes ou jusqu'à ce qu'un cure-dent inséré au centre d'un muffin en ressorte propre. Démouler et laisser refroidir sur une grille.
7 Servir avec des rondelles de banane et de la confiture de fraises.

BAGUETTE AU CHEDDAR ET À L'OIGNON

Préparation 15 MINUTES ***Cuisson*** 15 MINUTES ***Portions*** 4

Oignons caramélisés
2 oignons, émincés finement
45 ml (3 c. à soupe) de beurre
15 ml (1 c. à soupe) de vinaigre de cidre
Sel et poivre

Tartinade moutarde et miel
30 ml (2 c. à soupe) de moutarde de Dijon
15 ml (1 c. à soupe) de moutarde à l'ancienne
15 ml (1 c. à soupe) de miel
1 pincée de curcuma moulu

Sandwich
1 pain baguette
225 g (1/2 lb) de fromage cheddar fort, tranché
8 tranches de bacon, cuites et croustillantes
1 oignon vert, émincé
15 ml (1 c. à soupe) d'huile d'olive

1 POUR LES OIGNONS CARAMÉLISÉS Dans une poêle, dorer les oignons à feu doux dans le beurre jusqu'à ce qu'ils soient caramélisés, soit de 10 à 15 minutes. Ajouter le vinaigre. Poursuivre la cuisson environ 2 minutes. Saler et poivrer. Réserver.
2 POUR LA TARTINADE MOUTARDE ET MIEL Dans un bol, mélanger tous les ingrédients. Réserver.
3 POUR LE SANDWICH À l'aide d'un couteau à pain, couper la baguette en quatre tronçons. Trancher chaque tronçon de baguette en deux à l'horizontale. Tartiner l'intérieur des pains d'une fine couche de tartinade moutarde et miel. Garnir chaque pain d'oignons caramélisés, de fromage, de deux tranches de bacon et d'oignon vert. Refermer les pains.
4 Dans une grande poêle, dorer les sandwichs à feu moyen de chaque côté dans l'huile. À l'aide d'une spatule, presser les sandwichs et poursuivre la cuisson jusqu'à ce que le fromage soit fondu.

Nous possédons tous une police d'assurance pour nous protéger du feu, des vols et des tuyaux de laveuse vissés un peu vite. Mais personne ne possède d'assurance pour se prémunir contre un imprévu bien plus probable: l'ami qui décide de rester à souper. Recevoir à l'improviste peut devenir un casse-tête diplomatique où vous pouvez facilement tout perdre: la face, vos amis, enfin la soirée et, éventuellement, votre réputation. Des amis s'arrêtent chez vous en fin de journée. Vous jasez, riez, bref le temps file. Il est presque 18 heures. La faim vous fait parler sans réfléchir, et la phrase sort toute seule: «Vous allez rester à souper?» Avant même que vous puissiez paniquer, vous entendez un «bien sûr!» bien senti. La gravité de la situation vous frappe: vous n'avez rien à leur mettre sous la dent. Trop tard. Vous aurez beau plaider la «bonne franquette», tout le monde sait que c'est synonyme de restants d'il y a trois jours. Il existe fort heureusement des solutions pour résoudre cette délicate affaire, et elles ne se limitent pas aux menus de livraison de Beau-Bec BBQ. Vous pouvez vous munir d'une «trousse d'urgence» dans votre garde-manger et surtout d'un petit bataillon de recettes de dernière minute.

ON DIRAIT
QU'ILS VONT
RESTER
À SOUPER

petits plats rapides et faciles

EN EXAMINANT L'INTÉRIEUR DE SON RÉFRIGÉRATEUR CINQ MINUTES, ON EN APPREND BEAUCOUP PLUS SUR SOI-MÊME QU'EN CINQ ANS DE THÉRAPIE PERSONNELLE. LE CONTENU DU FRIGO, DU CONGÉLATEUR ET DU GARDE-MANGER EST UN PEU LE MIROIR DE SES OCCUPANTS; IL VARIE SELON NOTRE CULTURE ALIMENTAIRE. LES PRÉVOYANTS AURONT DES RÉSERVES POUR SURVIVRE PENDANT DES MOIS, QUELQUES-UNS ONT ENCORE DES PRODUITS ARBORANT DES ÉTIQUETTES DE STEINBERG ET D'AUTRES ONT TOUT CE QU'IL FAUT POUR CUISINER À L'IMPROVISTE, SANS STRESS. POUR LA VISITE DE DERNIÈRE MINUTE, ON PEUT BIEN SÛR FAIRE UN ARRÊT À L'ÉPICERIE AFIN DE COMPLÉTER AVEC DES ALIMENTS FRAIS. LES LISTES PROPOSÉES CORRESPONDENT À MON TYPE DE CUISINE ET AUX RECETTES QUE VOUS TROUVEREZ DANS CE LIVRE.

garde-manger

BOUILLON DE POULET EN BOÎTE TÉTRA-PAK (POUR SOUPE, POTAGE, SAUCE, RIZ ET RISOTTO) DES TOMATES EN CONSERVE (POUR UNE SAUCE VITE FAITE, UNE SOUPE) **LÉGUMINEUSES EN BOÎTE (POUR UNE SALADE OU UNE SOUPE VIDE-FRIGO)** PÂTES ALIMENTAIRES ET RIZ **VINAIGRES VARIÉS (BALSAMIQUE, DE VIN, DE RIZ...)** LAIT DE COCO **CHOCOLAT** MIEL **GRIOTTES (PETITES CERISES) DANS LEUR JUS VENDUES EN POT (POUR CERISES FLAMBÉES, SUNDAE...)** AIL ET OIGNONS

réfrigérateur

CRÈME 35% (PEUT ÊTRE FOUETTÉE POUR GARNIR UN GÂTEAU OU FINIR UN DESSERT) CITRONS ET LIMES **SAUCES ASIATIQUES (SOYA, HOISIN, SAMBAL OELEK)** UN BLOC DE PARMESAN FRAIS (OU RÂPÉ AU CONGÉLATEUR) **ŒUFS** YOGOURT NATURE ÉPAIS (POUR TREMPETTE, SAUCE, GARNITURE DE DESSERT) **VIN BLANC PEU CHER (POUR DÉGLACER, RISOTTO, SAUCE)** POMMES **MOUTARDE DE DIJON** RACINE DE GINGEMBRE

CONGÉLATEUR

POITRINES DE POULET DÉSOSSÉES ET SANS LA PEAU SAC DE CREVETTES DÉCORTIQUÉES ET DÉVEINÉES **FILETS DE POISSON BLANC SOUS-VIDE** FILETS DE PORC EMBALLÉS INDIVIDUELLEMENT **BACON CONGELÉ EN TRANCHES INDIVIDUELLES** PETITS FRUITS (POUR SAUCE, MOUSSE, SMOOTHIE OU TARTE) **SAUCE TOMATE (POUR PÂTES, PIZZA, SAUCE ROSÉE)** POIS SURGELÉS (RISOTTO, LÉGUME D'ACCOMPAGNEMENT) **MOZZARELLA RÂPÉE** PÂTE PHYLLO OU FEUILLETÉE **CRÈME GLACÉE À LA VANILLE**

Lipton
d'aucy

DUKKA

Préparation 10 MINUTES *Portions* 6 À 8

Cela fait maintenant des années que l'on nous présente le trio pain, huile d'olive et vinaigre balsamique pour nous faire patienter à l'apéritif. Les temps changent. Place au dukka, un mélange d'épices et d'amandes broyées dont on imprègne un morceau de pain d'abord mouillé d'huile d'olive. Je l'ai découvert en Nouvelle-Zélande où on l'offre dans tous les restaurants. Ayez-en toujours sous la main. C'est «dernière minute», mais très classe.

150 ml (2/3 tasse) d'amandes blanchies entières
30 ml (2 c. à soupe) de graines de sésame
20 ml (4 c. à thé) de poudre de chili
10 ml (2 c. à thé) de curcuma
5 ml (1 c. à thé) de sel d'oignon
5 ml (1 c. à thé) de sel de céleri
5 ml (1 c. à thé) de cumin
5 ml (1 c. à thé) de coriandre moulue
Piment de Cayenne, au goût
Huile d'olive, pour accompagner
Cubes de pain, pour accompagner

1 À l'aide d'un mortier et d'un pilon ou dans un petit robot, réduire les amandes en petits morceaux. Ajouter le reste des ingrédients et bien mélanger. Déposer dans un petit bol. Verser de l'huile d'olive dans un autre bol. Servir avec des cubes de pain que l'on imbibe d'huile puis que l'on imprègne de dukka.

parfumé
mais pas
piquant

TARTINADE DE POIVRONS ROUGES

Préparation 10 MINUTES *Cuisson* 15 MINUTES *Rendement* ENVIRON 375 ML (1 1/2 TASSE)

Après avoir développé la tartinade et l'avoir goûtée, je me suis dit que c'était trop simple pour être une recette (deux ingrédients seulement). J'ai alors essayé toutes sortes d'ajouts pour finalement revenir à la base. Parfois, on cherche trop loin.

4 poivrons rouges, coupés en deux, épépinés
60 ml (1/4 tasse) d'huile d'olive
Sel et poivre

1 Placer la grille dans le haut du four. Préchauffer le four à gril (*broil*).Tapisser une plaque de cuisson de papier parchemin.
2 Placer les poivrons sur la plaque, côté peau vers le haut. Badigeonner d'un peu d'huile. Cuire au four environ 15 minutes ou jusqu'à ce qu'ils noircissent.
3 Déposer les poivrons dans un contenant hermétique. Laisser tiédir et retirer la peau.
4 Au robot, réduire en purée lisse les poivrons et le reste de l'huile. Saler et poivrer. Servir avec des minipains pita, tartiner sur des tranches de pain baguette pour l'apéritif ou utiliser en trempette avec des crudités.

Entier / Whole
CURCUMA
TURMERIC
ÉPICES DE CRU

STRACCIATELLA AUX HERBES ET AU POISSON

Préparation 15 MINUTES **Cuisson** 10 MINUTES **Portions** 4

1,25 litre (5 tasses) de bouillon de poulet
6 feuilles de sauge fraîche
115 g (1/4 lb) de filet de sole, coupé en morceaux
3 œufs
125 ml (1/2 tasse) de *parmigiano reggiano* râpé
1 gousse d'ail, pelée
45 ml (3 c. à soupe) de persil plat ciselé
45 ml (3 c. à soupe) de ciboulette fraîche ciselée
45 ml (3 c. à soupe) de basilic frais ciselé
15 ml (1 c. à soupe) de marjolaine fraîche ciselée
Sel et poivre
8 *grissini* ou longs croûtons de pain baguette grillés et arrosés d'huile d'olive

1 Dans une casserole, porter à ébullition le bouillon de poulet et la sauge. Hors du feu, laisser infuser environ 5 minutes. Retirer la sauge.
2 Au robot, réduire en purée lisse le poisson, les œufs, le parmesan et l'ail.
3 Verser le mélange de poisson dans le bouillon. En remuant constamment à l'aide d'un fouet, porter à ébullition. Ajouter les herbes. Saler et poivrer.
4 Accompagner de *grissini* ou de croûtons de pain baguette.

MIAM.

CUISSES DE POULET AU MIEL ET AU ROMARIN

Préparation 15 MINUTES *Cuisson* 30 À 45 MINUTES *Portions* 8

8 cuisses de poulet
16 grands rectangles de papier d'aluminium épais
8 branches de romarin frais
125 ml (1/2 tasse) de miel
Sel et poivre

1 Préchauffer le barbecue à puissance élevée. Pour une cuisson au four, placer la grille au centre du four et le préchauffer à 200 °C (400 °F).
2 Déposer une cuisse de poulet sur deux feuilles de papier d'aluminium superposées. Y répartir une branche de romarin et le miel en filet. Saler et poivrer. Refermer les papillotes hermétiquement et les déposer sur la grille du barbecue. Cuire environ 15 minutes de chaque côté ou jusqu'à ce que le poulet soit cuit et que la chair se détache facilement de l'os. Pour une cuisson au four, déposer le poulet directement sur une plaque de cuisson et cuire environ 45 minutes.

3
ingrédients

PÂTES À LA SAUCE *PUTTANESCA*

Préparation 10 MINUTES ***Cuisson*** 10 MINUTES ***Portions*** 4

1 oignon, haché
3 gousses d'ail, hachées
60 ml (1/4 tasse) d'huile d'olive
2 filets d'anchois, tranchés finement (facultatif)
750 ml (3 tasses) de sauce tomate maison ou du commerce
60 ml (1/4 tasse) de persil plat, ciselé
75 ml (1/3 tasse) d'olives noires dans l'huile, égouttées, dénoyautées et coupées en deux
30 ml (2 c. à soupe) de câpres, égouttées et hachées
30 ml (2 c. à soupe) d'origan frais, ciselé
Sel et poivre
375 g (3/4 lb) de pâtes au choix, cuites

1 Dans une casserole, attendrir l'oignon et l'ail dans l'huile. Ajouter les anchois et remuer 1 minute. Ajouter la sauce tomate et porter à ébullition. Laisser mijoter 5 minutes. Ajouter le reste des ingrédients. Saler et poivrer. Servir avec les pâtes.

PANGASIUS AU LAIT DE COCO 5 MINUTES

Préparation 15 MINUTES ***Cuisson*** 5 MINUTES ***Portions*** 4

675 g (1 1/2 lb) de filets de pangasius, coupés en cubes
1 boîte de 398 ml (14 oz) de lait de coco
30 ml (2 c. à soupe) de gingembre frais haché finement
1 ml (1/4 c. à thé) de coriandre moulue
Le zeste râpé et le jus d'une lime
Sel et poivre

1 Dans une casserole, mélanger tous les ingrédients à l'exception du jus de lime. Saler et poivrer. Porter à ébullition, couvrir et laisser mijoter doucement environ 5 minutes. Ajouter le jus de lime au goût. Rectifier l'assaisonnement.
2 Servir sur du riz au jasmin et accompagner de légumes verts et de quartiers de lime.

BROCHETTES DE CREVETTES AU CITRON ET À L'AIL

Préparation 10 MINUTES *Cuisson* 7 MINUTES *Portions* 4

C'est officiel, la visite s'incruste. Courez au congélateur, sortez des crevettes et plongez aussitôt le sac dans l'eau froide. Trente minutes plus tard, même pas le temps d'un apéritif, elles seront prêtes à utiliser.

1 kg (2 lb) de grosses crevettes, décortiquées et déveinées
Le zeste râpé de 2 citrons
Le jus de 1 citron
2 gousses d'ail, émincées
45 ml (3 c. à soupe) d'huile d'olive
1 pincée de poivre de Cayenne
Sel et poivre
12 brochettes de bois, trempées dans l'eau 30 minutes
1 citron, coupé en six quartiers

1 Dans un bol, mélanger les crevettes, le zeste et le jus de citron, l'ail, l'huile, le poivre de Cayenne. Enfiler les crevettes sur les brochettes.
2 Réfrigérer au moins 10 minutes ou plus longtemps si possible.
3 Préchauffer le barbecue à puissance élevée ou une poêle striée antiadhésive.
4 Saler et poivrer les brochettes. Griller environ 1 à 2 minutes de chaque côté, selon la grosseur. Servir avec les quartiers de citron.

CERISES GRIOTTES FLAMBÉES

Préparation 5 MINUTES *Cuisson* 5 MINUTES *Portions* 4

Quand j'étais petit, les seules cerises que je connaissais étaient en pots, rouges ou vertes, et elles avaient la texture du caoutchouc. Puis un jour, j'ai découvert les griottes. Une révélation. Depuis, j'en ai toujours un pot dans mon placard. J'y ajoute du rhum, du sucre, du beurre et je les fais flamber avant de les accompagner de crème glacée. C'est ultrarapide à préparer.

15 ml (1 c. à soupe) de beurre
1 boîte de 540 ml (19 oz) de cerises griottes ou Bing, égouttées
15 ml (1 c. à soupe) de sucre
30 ml (2 c. à soupe) de rhum brun
Crème glacée à la vanille

1 Dans une poêle, fondre le beurre. Y faire revenir les cerises et le sucre à feu vif 2 minutes. Ajouter le rhum et faire flamber immédiatement. Laisser réduire 1 minute.
2 Servir chaud sur de la crème glacée.

RISOTTO À QUELQUE CHOSE

Préparation 10 MINUTES *Cuisson* 30 MINUTES *Portions* 6

Béni soit l'Italien qui a inventé ce délice. Je ne sais pas combien de fois ce plat m'a sauvé la vie. Du riz, des oignons, du bouillon, du vin blanc, du parmesan, on en a presque tout le temps. Reste simplement à cuire ou griller une garniture qui nous fait envie et à l'ajouter au risotto fini: des petits pois surgelés, des champignons sautés, des asperges cuites, des crevettes grillées au zeste de citron... Les invités s'impatientent? Donnez-leur une cuillère de bois et faites-les remuer.

1 petit oignon, haché finement
60 ml (1/4 tasse) de beurre
500 ml (2 tasses) de riz arborio, carnaroli ou vialone nano
125 ml (1/2 tasse) de vin blanc
1,125 litre (4 1/2 tasses) de bouillon de poulet chaud, environ
375 ml (1 1/2 tasse) de *parmiggiano reggiano*, râpé
Sel et poivre

1 Dans une casserole, attendrir l'oignon dans le beurre. Ajouter le riz et cuire 1 minute à feu moyen en remuant pour bien l'enrober de beurre. Ajouter le vin et laisser réduire presque à sec.
2 Ajouter 125 ml (1/2 tasse) de bouillon à la fois et cuire en remuant fréquemment jusqu'à ce que le bouillon soit presque entièrement absorbé. Répéter l'opération jusqu'à ce que le bouillon soit totalement incorporé et que le riz soit tendre.
3 Hors du feu, incorporer le fromage et remuer jusqu'à ce qu'il soit fondu. Rectifier l'assaisonnement. Ajouter la garniture au choix. Servir immédiatement.

PRATIQUE

PENNES À LA ROMANOFF SANS CRÈME

Préparation 20 MINUTES *Cuisson* 25 MINUTES *Portions* 6

Mon ami Guy essaie toujours de me convaincre du bon goût de ses recettes santé. Je ne le lui avouerai jamais, mais ses pennes m'ont séduit. Les voici.

Sauce béchamel
45 ml (3 c. à soupe) de beurre
45 ml (3 c. à soupe) de farine
375 ml (1 1/2 tasse) de lait
Sel et poivre

Pâtes
500 g (environ 1 lb) de *penne rigate*
454 g (1 lb) de petits champignons blancs, coupés en quartiers
45 ml (3 c. à soupe) de beurre
3 oignons verts, émincés finement
2 gousses d'ail, hachées finement
Poivre fraîchement concassé
125 ml (1/2 tasse) de vodka
250 ml (1 tasse) de tomates italiennes en dés en conserve, égouttées

Garniture
250 ml (1 tasse) de *parmigiano reggiano* râpé
2 oignons verts, émincés
60 ml (1/4 tasse) de noix de pin, grillées

1 POUR LA SAUCE BÉCHAMEL Dans une casserole, fondre le beurre. Ajouter la farine en remuant et cuire 1 minute. Incorporer le lait en fouettant et porter à ébullition en mélangeant constamment au fouet. Laisser mijoter doucement quelques minutes. Saler et poivrer.
2 POUR LES PÂTES Dans une casserole d'eau bouillante salée, cuire les pâtes jusqu'à ce qu'elles soient *al dente*. Égoutter et huiler légèrement. Réserver.
3 Dans une grande poêle, faire revenir les champignons dans le beurre à feu vif jusqu'à ce qu'ils aient perdu leur eau et deviennent dorés. Saler et poivrer. Ajouter les oignons verts et l'ail. Poursuivre la cuisson environ 2 minutes. Ajouter les pâtes, du poivre fraîchement concassé et bien réchauffer. Déglacer avec la vodka et flamber si désiré. Ajouter la béchamel et les tomates, bien mélanger. Rectifier l'assaisonnement. Servir dans un grand bol.
4 POUR LA GARNITURE Parsemer de parmesan, d'oignons verts et de noix de pin.

MINESTRONE

Préparation 15 MINUTES *Cuisson* 25 MINUTES *Portions* 4

Même si on sert cette soupe décongelée, les invités n'y verront que du feu!

1 oignon, haché
2 carottes, coupées en dés
2 branches de céleri, coupées en dés
2 gousses d'ail, hachées
30 ml (2 c. à soupe) d'huile d'olive
1,25 litre (5 tasses) de bouillon de poulet
1 croûte de *parmigiano reggiano*
1 tranche épaisse de prosciutto (facultatif)
1 courgette, coupée en dés
250 ml (1 tasse) de haricots verts, coupés en biseaux
250 ml (1 tasse) de tomates cerises, coupées en deux
540 ml (19 oz) de haricots rouges, rincés et égouttés
125 ml (1/2 tasse) de *parmigiano reggiano* râpé, pour garnir
Basilic frais haché, pour garnir
Sel et poivre

1 Dans une casserole, faire revenir l'oignon, les carottes, le céleri et l'ail dans l'huile. Ajouter le bouillon de poulet, la croûte de parmesan et la tranche de prosciutto.
2 Porter à ébullition et laisser mijoter jusqu'à ce que les carottes soient tendres, soit environ 10 minutes.
3 Ajouter la courgette, les haricots verts, les tomates cerises et les haricots rouges. Poursuivre la cuisson environ 5 à 7 minutes. Retirer la croûte de parmesan et le prosciutto. Rectifier l'assaisonnement.
4 Garnir de *parmigiano reggiano* et de basilic.

PESTO DE TOMATES SÉCHÉES ET GRAINES DE CITROUILLE

Préparation 10 MINUTES *Portions* 4

125 ml (1/2 tasse) de tomates séchées dans l'huile, égouttées et hachées finement
60 ml (1/4 tasse) de graines de citrouille, grillées et hachées
15 ml (1 c. à soupe) de câpres, hachées
75 ml (1/3 tasse) d'huile d'olive

1 Dans un bol, mélanger les tomates, les graines de citrouille, les câpres et l'huile.
2 Servir à la température de la pièce sur un poisson (voir recette p. 073), des croûtons de pain (bruschettas), dans une vinaigrette ou avec des pâtes.

CABILLAUD (MORUE) AU PESTO DE TOMATES SÉCHÉES ET GRAINES DE CITROUILLE

Préparation 20 MINUTES *Cuisson* 15 MINUTES *Portions* 4

1 recette de pesto de tomates séchées et graines de citrouille (voir recette p. 070)

Courgettes
125 ml (1/2 tasse) de bouillon de poulet
45 ml (3 c. à soupe) de beurre
4 courgettes, émincées finement à la mandoline, sur la longueur
4 feuilles de sauge ou de basilic frais, ciselées

Poisson
675 g (1 1/4 lb) de filets de cabillaud (morue fraîche) ou de poisson blanc
30 ml (2 c. à soupe) d'huile d'olive

1 POUR LES COURGETTES Dans une grande poêle, porter à ébullition le bouillon et le beurre, et laisser réduire de moitié. Ajouter les courgettes et la sauge ou le basilic. Poursuivre la cuisson en remuant délicatement jusqu'à ce que les courgettes soient légèrement tendres, soit de 3 à 4 minutes. Saler et poivrer. Réserver au chaud.
2 POUR LE POISSON Dans la même poêle, dorer le poisson dans l'huile, à feu moyen, de 3 à 4 minutes de chaque côté. Saler et poivrer.
3 Servir le poisson avec le pesto et accompagner des rubans de courgette.

FILETS DE POISSON CROUSTILLANT AUX SHREDDED WHEAT[MD]

Préparation 25 MINUTES *Cuisson* 15 MINUTES *Portions* 4

Sauce tomate
1 gousse d'ail, hachée
15 ml (1 c. à soupe) d'huile d'olive
1 boîte de 398 ml (14 oz) de tomates italiennes
45 ml (3 c. à soupe) de jus d'orange (facultatif)
5 ml (1 c. à thé) de miel
Sel et poivre

ou

Sauce tartare
125 ml (1/2 tasse) de mayonnaise
15 ml (1 c. à soupe) de cornichons sucrés hachés
15 ml (1 c. à soupe) de jus de lime
5 ml (1 c. à thé) de câpres hachées
5 ml (1 c. à thé) de ciboulette fraîche ciselée

Poisson croustillant
125 ml (1/2 tasse) de farine tout usage
3 œufs, légèrement battus
500 ml (2 tasses) de céréales Shredded Wheat[MD] émiettées
4 filets de 170 g (6 oz) de poisson blanc (pangasius, tilapia...)
60 ml (1/4 tasse) d'huile d'olive, environ

1 POUR LA SAUCE TOMATE Dans une petite casserole, attendrir l'ail dans l'huile 1 minute. Ajouter les tomates, le jus d'orange et le miel. Porter à ébullition et laisser mijoter doucement 15 minutes. Saler et poivrer. Au mélangeur, réduire la sauce en purée lisse. Rectifier l'assaisonnement. Réserver au chaud.
2 POUR LA SAUCE TARTARE Dans un bol, mélanger tous les ingrédients. Saler et poivrer.
3 POUR LE POISSON CROUSTILLANT Placer la farine dans un premier bol, les œufs battus dans un second et les céréales dans un troisième bol.
4 Couper chaque filet en deux sur la longueur. Saler et poivrer. Tremper les filets dans la farine, puis dans l'œuf. Bien secouer pour faire tomber l'excédent, puis enrober de céréales. Dans une poêle, dorer les filets, dans l'huile de 2 à 3 minutes de chaque côté à feu moyen. Saler. Accompagner de la sauce au choix et d'une salade verte.

MACARONI AU FROMAGE

Préparation 20 MINUTES *Cuisson* 20 MINUTES *Portions* 4 PLATS OU 8 ENTRÉES

375 g (3/4 lb) de macaronis
45 ml (3 c. à soupe) de beurre
45 ml (3 c. à soupe) de farine tout usage non blanchie
2,5 ml (1/2 c. à thé) de paprika
1 ml (1/4 c. à thé) de moutarde sèche
Une pincée de muscade moulue
430 ml (1 3/4 tasse) de lait
375 ml (1 1/2 tasse) de fromage cheddar fort râpé (environ 150 g)
1 ml (1/4 c. à thé) de sauce Tabasco ou au goût
Sel et poivre

Garniture (facultatif)
5 tranches de bacon
375 ml (1 1/2 tasse) de pain coupé en dés
45 ml (3 c. à soupe) de beurre

1 Dans une grande casserole d'eau bouillante salée, cuire les pâtes jusqu'à ce qu'elles soient *al dente*. Égoutter et huiler légèrement. Réserver.
2 Dans la même casserole, fondre le beurre. Ajouter la farine, le paprika, la moutarde et la muscade. Cuire 1 minute en remuant. Ajouter graduellement le lait en fouettant jusqu'à ébullition. Laisser mijoter 2 minutes. Ajouter le fromage et remuer jusqu'à ce qu'il soit fondu. Saler et poivrer. Ajouter les pâtes et le Tabasco. Rectifier l'assaisonnement. Ajouter un peu de lait au besoin.
3 POUR LA GARNITURE Entre-temps, dans une poêle, dorer le bacon jusqu'à ce qu'il soit croustillant. Réserver sur un papier absorbant. Émietter.
4 Dans la même poêle, dorer le pain dans le beurre et ajouter le bacon.
5 Servir le macaroni au fromage et garnir de bacon et de croûtons. Poivrer.

POLPETTES AUX ÉPINARDS À LA SAUCE TOMATE

Préparation 30 MINUTES *Cuisson* 20 MINUTES *Portions* 4

Polpette, quel drôle de nom ! Je ne savais pas vraiment ce qu'il voulait dire avant qu'Étienne, cuisinier membre de mon équipe, insiste pour me les faire découvrir. Aujourd'hui, je suis amoureux fou de ces boulettes à l'italienne. À essayer, vraiment.

Sauce tomate
1 petit oignon, haché
2 gousses d'ail, hachées
60 ml (1/4 tasse) d'huile d'olive
1 boîte de 540 ml (19 oz) de tomates italiennes broyées
Sel et poivre

Polpettes
1 sac de 170 g d'épinards frais ou 180 ml (3/4 tasse) d'épinards surgelés, décongelés et égouttés
1 gousse d'ail pelée, coupée en deux
30 ml (2 c. à soupe) d'huile d'olive
1 contenant de 454 g (1 lb) de ricotta
125 ml (1/2 tasse) de *parmigiano reggiano* râpé
2 œufs
180 ml (3/4 tasse) de farine
Copeaux de *parmigiano reggiano* au goût
Feuilles de basilic au goût

1 POUR LA SAUCE TOMATE Dans une casserole, attendrir l'oignon et l'ail dans l'huile d'olive. Ajouter les tomates. Porter à ébullition et laisser mijoter environ 10 minutes. Saler et poivrer. Réserver au chaud.
2 POUR LES POLPETTES Dans une grande poêle, faire tomber les épinards avec l'ail dans l'huile. Bien essorer dans un tamis et laisser tiédir.
3 Au robot, réduire en purée les épinards, l'ail, la ricotta, le parmesan et les œufs. Ajouter la farine et bien mélanger. Saler et poivrer.
4 À l'aide de deux cuillères à soupe, façonner des quenelles de pâte d'environ 30 ml (2 c. à soupe) chacune et les laisser tomber dans une casserole d'eau frémissante salée. Les cuire, une dizaine à la fois, de 5 à 6 minutes. Égoutter et huiler légèrement. Réserver sur une assiette au chaud.
5 Déposer la sauce chaude dans un grand plat de service et y déposer les quenelles. Garnir de copeaux de parmesan et de feuilles de basilic. Poivrer.

FILETS DE PORC EN CHAPELURE DE BACON

Préparation 15 MINUTES *Cuisson* 25 MINUTES *Portions* 4 À 6

3 tranches de bacon surgelées individuellement et coupées en morceaux
125 ml (1/2 tasse) de chapelure de pain (maison idéalement)
30 ml (2 c. à soupe) de ciboulette fraîche ciselée
30 ml (2 c. à soupe) de moutarde de Dijon
15 ml (1 c. à soupe) de miel
2 filets de porc
Sel et poivre

1 Placer la grille au centre du four. Préchauffer le four à 200 °C (400 °F). Tapisser une plaque de cuisson de papier d'aluminium ou parchemin.
2 Au robot culinaire, hacher les tranches de bacon surgelées finement. Ajouter la chapelure, la ciboulette et mélanger quelques secondes. Réserver sur une assiette.
3 Dans un bol, mélanger la moutarde et le miel. Réserver.
4 Badigeonner la viande du mélange de moutarde. Saler et poivrer. Rouler les filets de porc dans le mélange de chapelure en pressant bien. Cuire au four de 20 à 25 minutes selon la grosseur des filets de porc pour une cuisson rosée. Au besoin, dorer quelques minutes sous le gril. Laisser reposer 5 minutes.
5 Trancher finement. Accompagner de légumes verts et de la purée de pommes de terre à la vanille et au poivre rose (voir recette ci-contre).

PURÉE DE POMMES DE TERRE À LA VANILLE ET AU POIVRE ROSE

Préparation 15 MINUTES *Cuisson* 15 MINUTES *Portions* 4

1 gousse de vanille
125 ml (1/2 tasse) de lait, environ
1 litre (4 tasses) de pommes de terre pelées et coupées en cubes
60 ml (1/4 tasse) de beurre
30 ml (2 c. à soupe) de poivre rose concassé
Sel

1 Fendre la gousse de vanille en deux pour l'ouvrir. À l'aide de la pointe d'un couteau, retirer les graines.
2 Dans une casserole, faire chauffer doucement le lait, les graines et la gousse de vanille jusqu'à ce que le lait soit chaud. Retirer la gousse.
3 Entre-temps dans une casserole, cuire les pommes de terre dans l'eau salée jusqu'à ce qu'elles soient très cuites, soit environ 15 minutes. Égoutter.
4 À l'aide d'un pilon, écraser les pommes de terre avec le beurre. Au batteur électrique, réduire le mélange en purée avec le lait vanillé et le poivre rose. Rectifier l'assaisonnement.

facile

MOUSSE EXPRESS AUX FRAMBOISES

Préparation 20 MINUTES *Portions* 6 À 8

Il existe mille et une façons de préparer les mousses. Vous me connaissez, j'ai choisi la plus simple. Avec un minimum de quatre ingrédients, vous obtiendrez un maximum de goût. Vous pouvez aussi utiliser des framboises surgelées, décongelées et égouttées.

3 blancs d'œufs
1 ml (1/4 c. à thé) de crème de tartre
250 ml (1 tasse) de sucre
625 ml (2 1/2 tasses) de framboises fraîches
Biscuits fins

1 Dans un bol, fouetter les blancs d'œufs avec la crème de tartre au batteur électrique jusqu'à la formation de pics mous. Ajouter le sucre graduellement en fouettant constamment jusqu'à l'obtention de pics très fermes, soit environ 6 minutes. Incorporer 375 ml (1 1/2 tasse) de framboises et continuer de fouetter 1 minute. Réfrigérer.

2 Au moment de servir, répartir la mousse dans six coupes. Garnir avec le reste de framboises et des biscuits fins. La mousse peut être réfrigérée plusieurs heures avant le service. Au besoin, la fouetter de nouveau pour lui redonner sa belle texture.

4
INGRÉDIENTS

RECETTE P084

MINITARTES TATIN

Préparation 15 MINUTES *Cuisson* 35 MINUTES *Portions* 6

Pas besoin d'un moule spécial pour faire des tartelettes renversées: utilisez un moule à muffins à six cavités. Les pommes restent au fond? Ne faites pas de manières, décollez-les à la cuillère. Essayez aussi la recette avec des poires.

115 g (1/4 lb) de pâte feuilletée du commerce, décongelée et froide
125 ml (1/2 tasse) d'eau
250 ml (1 tasse) de sucre
4 pommes Royal Gala ou Cortland, pelées, épépinées et coupées en cubes de 1 cm (1/2 po)

1 Placer la grille au centre du four. Préchauffer le four à 200 °C (400 °F). Beurrer généreusement six moules à muffins.

2 Abaisser la pâte au rouleau à pâtisserie jusqu'à environ 3 mm (1/8 po) d'épaisseur. À l'aide d'un emporte-pièce de même diamètre que les moules, tailler six cercles. Les placer sur une plaque et réfrigérer.

3 Dans une poêle, porter l'eau et le sucre à ébullition. Cuire à feu vif jusqu'à ce que le sucre commence à dorer. Ajouter les pommes et cuire de 5 à 8 minutes en remuant fréquemment.

4 Répartir les pommes et le sirop dans les moules. Placer le moule sur une plaque de cuisson pour récupérer le sirop qui pourrait déborder. Recouvrir les pommes de la pâte. Cuire au four de 15 à 20 minutes, jusqu'à ce que la pâte soit bien dorée.

5 Tapisser une plaque de papier parchemin. Laisser tiédir 2 minutes avant de démouler sur la plaque. Servir tiède ou froid.

GLAÇAGE À LA VANILLE

Préparation 10 MINUTES ***Rendement*** 1 LITRE (4 TASSES)

Ce glaçage transforme un simple gâteau à la vanille en un chic dessert.

430 ml (1 3/4 tasse) de beurre non salé, ramolli
875 ml (3 1/2 tasses) de sucre à glacer
125 ml (1/2 tasse) de crème 35 %
5 ml (1 c. à thé) d'extrait de vanille
1 ml (1/4 c. à thé) de sel
125 ml (1/2 tasse) d'eau bouillante

1 Au batteur électrique ou au batteur sur socle, fouetter le beurre, le sucre, la crème, la vanille et le sel 2 minutes ou jusqu'à ce que le mélange soit mousseux et homogène. Ajouter l'eau bouillante, 15 ml (1 c. à soupe) à la fois en fouettant 30 secondes entre chaque ajout. Étendre environ 180 ml (3/4 tasse) de glaçage entre chaque étage d'un gâteau à la vanille (voir recette p. 086) et 430 ml (1 3/4 tasse) pour tout l'extérieur du gâteau.

Autres propositions pour accompagner le gâteau à la vanille:

Coulis de fruits (recette p. 089)
Sauce au caramel (recette p. 218)
Confiture de fraises express au sirop d'érable (recette p. 027)
Sauce au chocolat (recette p. 213)
Crème au mascarpone (recette p. 183)
Canneberges confites (recette p. 122)

LE PARFAIT GÂTEAU À LA VANILLE

Préparation 35 MINUTES *Cuisson* 55 MINUTES *Repos* 3 HEURES *Portions* 12

Des amis arrivent? Ce gâteau se transforme facilement en shortcake, en gâteau à la confiture ou même en super gâteau d'anniversaire avec le glaçage à la vanille (voir recette p. 085).

810 ml (3 1/4 tasses) de farine tout usage non blanchie
15 ml (1 c. à soupe) de poudre à pâte
2,5 ml (1/2 c. à thé) de sel
4 œufs
500 ml (2 tasses) de sucre
5 ml (1 c. à thé) d'extrait de vanille
180 ml (3/4 tasse) d'huile de canola
310 ml (1 1/4 tasse) de lait

1 Placer la grille au centre du four. Préchauffer le four à 180 °C (350 °F). Tapisser de papier parchemin et beurrer deux moules à charnière de 20 cm (8 po) de diamètre. Réserver.
2 Dans un bol, mélanger la farine, la poudre à pâte et le sel. Réserver.
3 Dans un autre bol, fouetter les œufs, le sucre et la vanille au batteur électrique jusqu'à ce que le mélange blanchisse, double de volume et fasse un ruban en retombant du fouet, soit environ 10 minutes. Ajouter l'huile en filet en fouettant.
4 À basse vitesse, incorporer les ingrédients secs en alternant avec le lait jusqu'à ce que la pâte soit lisse et homogène. Répartir la pâte dans deux moules et cuire au four de 50 à 55 minutes ou jusqu'à ce qu'un cure-dent inséré au centre du gâteau en ressorte propre. Laisser tiédir 15 minutes. Démouler et laisser refroidir complètement sur une grille.
5 Sur un plan de travail, retirer une fine tranche sur le dessus des gâteaux pour les égaliser et les couper en deux à l'horizontale. Réserver.

Crème fouettée
ou
Nutella
ou
Petits fruits
ou
confiture de fraises

SUNDAE AUX FRAISES ET AU VINAIGRE BALSAMIQUE

Préparation 20 MINUTES *Cuisson* 20 MINUTES *Portions* 6

Coulis de fraises
750 ml (3 tasses) de fraises fraîches, sans la queue, coupées en deux
75 ml (1/3 tasse) de sucre

Sirop au vinaigre balsamique
75 ml (1/3 tasse) de sirop d'érable
75 ml (1/3 tasse) de vinaigre balsamique

Sundae
24 fraises fraîches, tranchées
125 ml (1/2 tasse) de crème 35 %
15 ml (1 c. à soupe) de sucre
1 litre (4 tasses) de crème glacée à la vanille

1 POUR LE COULIS DE FRAISES Dans une casserole, mélanger les fraises et le sucre. Porter à ébullition, à feu moyen, en remuant fréquemment et laisser mijoter de 6 à 8 minutes. Au mélangeur, réduire les fraises en une purée lisse. Passer au tamis. Laisser tiédir. Couvrir et réfrigérer 1 h 30. Pour accélérer le refroidissement, mettre au congélateur en remuant fréquemment jusqu'à la température ambiante. Ajouter les fraises tranchées et bien mélanger. Réserver.
2 POUR LE SIROP AU VINAIGRE BALSAMIQUE Dans une casserole, porter à ébullition le sirop d'érable et le vinaigre. Cuire jusqu'à ce qu'un thermomètre à bonbons indique 110 °C (225 °F), soit environ 5 minutes. Retirer du feu et verser le sirop dans un bol. Laisser refroidir et couvrir.
3 POUR LE SUNDAE Dans un bol, fouetter la crème avec le sucre. Réfrigérer.
4 Dans six verres à sundae, répartir la moitié du mélange de fraises, couvrir d'une boule de crème glacée et arroser d'un filet de sirop au vinaigre balsamique. Poursuivre avec une boule de crème glacée, le reste du mélange de fraises et garnir de rosaces de crème fouettée. Terminer avec un filet de sirop au vinaigre balsamique.

À table, comme en tourisme, ce que veulent inconsciemment les Français qui débarquent, c'est du «sauvage». Pour les épater, on peut s'assurer que tout le soit. Leur servir du canard sauvage, des saucisses «sauvages», du pain tranché «sauvage». On peut aussi appliquer la même ligne directrice au service, en plaçant le beurre directement sur un lit de branches d'épinette, et les fromages sur une raquette en babiche mâchée par un «sauvage». Les cousins aimant apprendre, on peut aussi les renseigner sur la différence entre le sirop d'érable «sauvage» et le sirop d'érable «d'élevage». Bien sûr, il s'agit du même sirop, mais mettez-les au défi de reconnaître le sirop «sauvage» et ils y verront subitement une différence marquante. De plus, ça leur donnera une autre façon d'épater leurs amis dès leur retour en France. On peut pousser l'audace jusqu'à vanter les mérites du blé d'Inde sauvage des Rocheuses, celui-là même que Garou aime aller récolter en raquettes chaque automne. Ou alors, on peut se faire plaisir à nous-mêmes en leur servant nos produits locaux frais et savoureux. Moins drôle, mais plus agréable pour tout le monde.

les Français
DÉBARQUENT!

recevoir les Français l'été

BETTY BOOP
DINER

FRAISES
À VENDRE

PRODUCT
OF QUEBEC
2 LITRES • 2 LITRE
CANADA NO.1

SALADE DE CRABE ET DE FRAISES AU CITRON VERT

Préparation 10 MINUTES *Portions* 4 À 6

Le crabe des neiges de la Gaspésie et du Bas-Saint-Laurent est en saison au printemps. Le reste de l'année, achetez-le congelé, en morceaux. Pour changer, préparez aussi la recette avec du homard ou des crevettes fraîches. Ce qui compte, c'est le petit goût marin.

La chair de 2 avocats, coupée en cubes de 2,5 cm (1 po)
1 concombre anglais, pelé, épépiné et coupé en cubes de 2,5 cm (1 po)
375 ml (1 1/2 tasse) de fraises fraîches, coupées en quartiers
350 g (3/4 lb) de chair de crabe des neiges
Le jus de 2 limes
45 ml (3 c. à soupe) d'huile d'olive
Sel et poivre

1 Dans un bol, mélanger délicatement tous les ingrédients. Saler et poivrer.

2 Servir immédiatement.

ASPERGES CÉSAR

Préparation 30 MINUTES ***Cuisson*** 20 MINUTES ***Portions*** 4 À 6

Mayonnaise
1 jaune d'œuf
15 ml (1 c. à soupe) de jus de citron
10 ml (2 c. à thé) de moutarde de Dijon
5 ml (1 c. à thé) de câpres hachées
2,5 ml (1/2 c. à thé) de pâte d'anchois ou 1 filet d'anchois haché
125 ml (1/2 tasse) d'huile végétale
Sel et poivre

Salade
2 tranches de pain, coupées en dés de 1/2 cm (1/4 po)
30 ml (2 c. à soupe) de beurre, environ
225 g (1/2 lb) de bacon, coupé en lardons
1 kg (2 lb) d'asperges, parées
Le zeste râpé de 1 citron
Copeaux de parmesan au goût

1 POUR LA MAYONNAISE Dans un bol, mélanger le jaune d'œuf, le jus de citron, la moutarde, les câpres et la pâte d'anchois à l'aide d'un fouet. Verser l'huile en filet en fouettant constamment. Saler et poivrer.

2 POUR LA SALADE Dans une poêle, dorer les croûtons de pain dans le beurre. Réserver sur une assiette.

3 Dans la même poêle, dorer le bacon jusqu'à ce qu'il soit croustillant. Égoutter sur du papier absorbant.

4 Dans une casserole d'eau bouillante salée, cuire les asperges environ 3 minutes ou jusqu'à ce qu'elles soient *al dente*. Égoutter.

5 Dans un bol, mélanger les asperges, le zeste de citron et le bacon. Transférer dans une assiette.

6 Verser la mayonnaise en filet sur les asperges. Garnir de croûtons et de copeaux de parmesan. Servir en entrée ou en légume d'accompagnement.

FLÉTAN GRILLÉ ET *SALSA VERDE* AUX HERBES SALÉES

Préparation 10 MINUTES *Cuisson* 40 MINUTES *Portions* 4

Flétan grillé
1 morceau de filet de flétan de 1 kg (2 lb) sans la peau
Huile d'olive
Sel et poivre

Salsa verde
250 ml (1 tasse) d'huile d'olive
250 ml (1 tasse) de persil plat frais
125 ml (1/2 tasse) de basilic frais
2 oignons verts, coupés en tronçons
15 ml (1 c. à soupe) d'herbes salées du Bas-du-Fleuve ou de Gaspésie
5 ml (1 c. à thé) de thym frais

1 POUR LE FLÉTAN GRILLÉ Préchauffer le barbecue à température élevée.
2 Badigeonner le flétan d'huile d'olive de chaque côté. Saler et poivrer. Le déposer sur une feuille de papier d'aluminium. Cuire de 15 à 20 minutes.
3 POUR LA *SALSA VERDE* Au mélangeur, réduire en purée lisse tous les ingrédients. Servir avec le flétan grillé.

BEURRE NOISETTE À L'ESTRAGON P104

BEURRE CITRON-LIME P104

BEURRE BACON-MOUTARDE P104

BEURRE BACON-MOUTARDE

Préparation 10 MINUTES *Cuisson* 5 MINUTES *Réfrigération* 20 MINUTES
Rendement 150 ML (2/3 TASSE)

3 tranches de bacon, coupées grossièrement
10 ml (2 c. à thé) de moutarde à l'ancienne
125 ml (1/2 tasse) de beurre salé, ramolli

1 Dans une poêle, dorer le bacon. Égoutter sur un papier absorbant et laisser refroidir.
2 Dans un petit robot culinaire, réduire le bacon en miettes. À défaut de robot, hacher le bacon finement au couteau. Ajouter la moutarde, le beurre et mélanger jusqu'à ce que le tout soit homogène. Transvider dans un ramequin et réfrigérer environ 20 minutes.
3 Servir avec des épis de maïs, des steaks ou du poulet grillé.

BEURRE CITRON-LIME

Préparation 10 MINUTES *Réfrigération* 20 MINUTES *Rendement* 150 ML (2/3 TASSE)

125 ml (1/2 tasse) de beurre salé, ramolli
Le zeste de 1/2 citron
Le zeste de 1 lime
15 ml (1 c. à soupe) de jus de citron
15 ml (1 c. à soupe) de jus de lime

1 Dans un bol ou au petit robot culinaire, mélanger tous les ingrédients jusqu'à ce que le tout soit homogène. Transvider dans un ramequin et réfrigérer environ 20 minutes.
2 Servir avec des épis de maïs ou un poisson grillé.

BEURRE NOISETTE À L'ESTRAGON

Préparation 10 MINUTES *Cuisson* 5 MINUTES *Réfrigération* 20 MINUTES
Rendement 125 ML (1/2 TASSE)

125 ml (1/2 tasse) de beurre, ramolli
5 ml (1 c. à thé) de vinaigre de vin blanc
10 ml (2 c. à thé) d'estragon frais, ciselé
Poivre

1 Dans une petite poêle, porter doucement à ébullition 45 ml (3 c. à soupe) de beurre et le vinaigre. Cuire jusqu'à ce que le beurre prenne une teinte noisette. Verser immédiatement dans un bol pour arrêter la cuisson. Laisser refroidir environ 15 minutes ou jusqu'à ce qu'il soit tempéré.
2 Dans un bol ou au petit robot culinaire, mélanger le reste du beurre, le beurre noisette et l'estragon jusqu'à ce que le tout soit homogène. Transvider dans un ramequin et réfrigérer environ 20 minutes.
3 Servir avec des épis de maïs, du poisson, des asperges ou du poulet grillé.

CANADA No 1
50

7
PEPSI

la comédie
RANDONNÉE
ASTHMEDIA
HOG-PORTNEUF
7UP

DE POULET
MORCEAUX
9 MORCEAUX
20 MORCEAUX
CROQUETTES GARNIES +
OIGNONS FRANCAIS
POUTINE RÉGULIÈRE
GROSSE
FAMILIALE
POUTINE ITALIENNE RÉG.
GROSSE
FAMILIALE
GALVAUDE RÉGULIÈRE
GROSSE
FAMILIALE
3.95
5.20
8.75
2.05
3.95
4.90
6.95
10.50
5.80
7.95
13.00
4.90
6.95
10.50
HOT

HAMBURGERS DOUBLES À L'AMÉRICAINE

Préparation 20 MINUTES ***Cuisson*** 10 MINUTES ***Portions*** 4

Sauce

180 ml (3/4 tasse) de mayonnaise
60 ml (1/4 tasse) d'oignon haché finement
15 ml (1 c. à soupe) de vinaigrette française du commerce (de couleur orangée)
15 ml (1 c. à soupe) de relish sucrée
15 ml (1 c. à soupe) de cornichons à l'aneth, hachés finement
5 ml (1 c. à thé) de cassonade
5 ml (1 c. à thé) de ketchup
5 ml (1 c. à thé) de vinaigre blanc
Sel et poivre

Hamburgers

4 pains à hamburgers
675 g (1 1/2 lb) de bœuf haché maigre
4 tranches de fromage orange
Tranches de cornichon à sandwich
Laitue Iceberg émincée

1 POUR LA SAUCE Dans un bol, mélanger tous les ingrédients. Saler et poivrer. Réfrigérer.

2 POUR LES HAMBURGERS Préchauffer le barbecue à puissance élevée.

3 À l'aide d'un couteau à pain, couper le dessus des pains à hamburger en deux. Réserver.

4 Façonner huit grandes galettes très minces de bœuf haché. Un truc pour faciliter la tâche : mettre les galettes entre deux pellicules de plastique et aplatir en glissant une main sur la pellicule.

5 Griller les galettes environ 3 minutes de chaque côté ou jusqu'à ce que la viande soit bien cuite. Saler et poivrer. Une minute avant la fin de la cuisson, déposer les tranches de fromage sur la moitié des galettes. Griller les pains.

6 POUR LE MONTAGE Tartiner l'intérieur des pains de sauce. Déposer la viande sans fromage sur la base des pains. Garnir de tranches de cornichons. Couvrir d'une tranche de pain sans croûte. Tartiner de sauce. Garnir de laitue. Ajouter le reste de la viande et couvrir.

RECETTE P114

MINISANDWICHS PO BOY

Préparation 20 MINUTES ***Cuisson*** 7 MINUTES ***Portions*** 8

Inventé à La Nouvelle-Orléans, le po boy est une espèce de sous-marin garni d'huîtres, d'écrevisses ou de crabes frits avec de la laitue, des cornichons, des tomates et de la mayonnaise. C'est rustique, parfait pour le lunch avec des maïs.

Sauce tartare
125 ml (1/2 tasse) de mayonnaise
60 ml (1/4 tasse) de cornichons surs hachés finement
15 ml (1 c. à soupe) de jus de citron
5 ml (1 c. à thé) de raifort crémeux (raifort préparé)
1 ml (1/4 c. à thé) de sucre
Sel et poivre

Huîtres frites
375 ml (1 1/2 tasse) de farine de maïs fine
2,5 ml (1/2 c. à thé) de poivre de Cayenne
350 g (3/4 lb) d'huîtres en vrac, égouttées et épongées

Sandwich
1 pain baguette, coupé en deux sur l'épaisseur (ou 4 petits pains à sous-marins)
250 ml (1 tasse) de laitue Iceberg, émincée
1 tomate, tranchée finement

1 POUR LA SAUCE TARTARE Dans un bol, mélanger tous les ingrédients. Saler et poivrer. Réserver au froid.
2 POUR LES HUÎTRES FRITES Préchauffer l'huile de la friteuse à 180 °C (350 °F). Tapisser une plaque de plusieurs épaisseurs de papier absorbant.
3 Placer la grille au centre du four. Préchauffer le four à gril (*broil*).
4 Dans un bol, mélanger la farine de maïs et le poivre de Cayenne. Saler. Plonger les huîtres dans le mélange de farine pour bien les enrober.
5 Plonger la moitié des huîtres dans la friteuse et cuire de 1 à 2 minutes selon la grosseur, jusqu'à ce qu'elles soient dorées. Égoutter et déposer les huîtres sur le papier absorbant. Poursuivre avec le reste des huîtres. Saler.
6 POUR LE SANDWICH Entre-temps, griller le pain côté mie sous le gril (*broil*) de 2 à 3 minutes.
7 Tartiner le côté grillé de chaque morceau de pain de sauce tartare. Garnir de laitue, de tomate et d'huîtres frites. Refermer la baguette et bien la presser. Couper en tronçons d'environ 2 po (5 cm) et insérer un cure-dent dans chaque bouchée.
8 Servir en entrée ou pour le lunch.

ÉPICES À STEAK DE MONTRÉAL

Préparation 5 MINUTES ***Rendement*** ENVIRON 125 ML (1/2 TASSE)

30 ml (2 c. à soupe) de grains de 4 poivres
15 ml (1 c. à soupe) de graines de coriandre
15 ml (1 c. à soupe) de graines d'aneth
2,5 ml (1/2 c. à thé) de flocons de piment fort broyé
30 ml (2 c. à soupe) de sel de mer
15 ml (1 c. à soupe) de poudre d'ail
15 ml (1 c. à soupe) de poudre d'oignon

1 Dans un moulin à café ou au mortier, concasser le poivre, la coriandre, l'aneth et le piment. Ajouter le reste des ingrédients et bien mélanger.
2 Saupoudrer généreusement sur des steaks (*T-bone*, filet mignon...), un poulet entier à rôtir ou des steaks de thon avant de griller au barbecue.

TARTE PAYSANNE AUX POMMES ET AUX PETITS FRUITS D'ÉTÉ

Préparation 20 MINUTES *Réfrigération* 30 MINUTES *Cuisson* 40 MINUTES *Portions* 10

Croûte
750 ml (3 tasses) de farine tout usage non blanchie
Une pincée de sel
30 ml (2 c. à soupe) de sucre
180 ml (3/4 tasse) de beurre non salé froid, coupé en cubes
2 œufs
60 ml (1/4 tasse) d'eau glacée

Garniture
250 ml (1 tasse) de sucre
30 ml (2 c. à soupe) de tapioca à cuisson rapide
1 litre (4 tasses) de petits fruits mélangés (couper les grosses fraises en quartiers)
15 ml (1 c. à soupe) de semoule de maïs
2 pommes Royal Gala ou Cortland, pelées, sans le cœur et tranchées finement
Crème glacée à la vanille

1 POUR LA CROÛTE Dans le bol du robot culinaire, placer la farine, le sel et le sucre. Mélanger quelques secondes. Ajouter le beurre et mélanger quelques secondes à la fois jusqu'à ce qu'il ait la grosseur de petits pois. Ajouter les œufs et l'eau. Mélanger de nouveau jusqu'à ce que la pâte commence tout juste à se former. Ajouter de l'eau au besoin. Retirer la pâte du robot et former un disque. Emballer la pâte dans une pellicule de plastique et réfrigérer.
2 Sur un plan de travail fariné, abaisser la pâte en un disque d'environ 46 cm (18 po).
3 Placer la grille au centre du four. Y déposer une pierre à pizza. Préchauffer le four à 200 °C (400 °F). À défaut d'avoir une pierre à pizza, utiliser le dos d'une plaque à biscuits tapissée de papier parchemin sans la mettre au four préalablement.
4 POUR LA GARNITURE Dans un bol, mélanger le sucre et le tapioca. Ajouter les petits fruits et bien mélanger. Laisser reposer 10 minutes.
5 Saupoudrer la planche à pizza de semoule de maïs. Déposer la croûte. Garnir le fond de tranches de pommes sur environ 30 cm (12 po). Ajouter la garniture aux petits fruits et rabattre la pâte sur les fruits. On peut relever la bordure de la pâte légèrement vers le haut pour empêcher la garniture de couler. Cuire au four environ 40 minutes ou jusqu'à ce que la pâte soit dorée.
6 Servir la tarte accompagnée de crème glacée à la vanille.

RECETTE P122

BANANA SPLIT À LA CANNEBERGE CONFITE ET AU CARAMEL AU CAFÉ

Préparation 20 MINUTES *Cuisson* 20 MINUTES *Réfrigération* 12 HEURES *Portions* 4

Pendant plusieurs semaines, vous pourrez conserver le surplus de canneberges confites (au réfrigérateur) et de caramel au café (à température ambiante) pour garnir des coupes glacées, des gâteaux ou des brownies.

Canneberges confites
375 ml (1 1/2 tasse) de sucre
250 ml (1 tasse) d'eau
500 ml (2 tasses) de canneberges fraîches ou surgelées

Caramel au café
60 ml (1/4 tasse) d'eau
375 ml (1 1/2 tasse) de sucre
125 ml (1/2 tasse) de crème 35 %
125 ml (1/2 tasse) d'espresso ou de café fort
60 ml (1/4 tasse) de beurre salé

Garnitures
4 bananes, coupées en deux
Crème glacée à la vanille
75 ml (1/3 tasse) de pacanes, grillées et concassées

1 POUR LES CANNEBERGES CONFITES Dans une casserole, porter le sucre et l'eau à ébullition. Ajouter les canneberges. Porter à ébullition. Laisser tiédir. Réfrigérer 12 heures.
2 POUR LE CARAMEL AU CAFÉ Dans une casserole, porter à ébullition l'eau et le sucre. Cuire sans remuer jusqu'à ce que le mélange prenne une couleur légèrement dorée, soit environ 3 minutes. Retirer la casserole du feu. Ajouter la crème, le café et le beurre en fouettant. Porter de nouveau à ébullition jusqu'à ce que le mélange soit homogène. Laisser tiédir et réserver au réfrigérateur dans un contenant hermétique.
3 Répartir les bananes dans quatre bols. Ajouter des boules de crème glacée. Napper de caramel au café et garnir de canneberges confites et de pacanes.

POUDING AUX BLEUETS CUIT AU BARBECUE

Préparation 10 MINUTES ***Cuisson*** 25 MINUTES ***Portions*** 8

Les bleuets sont les myrtilles d'Amérique du Nord. Les cousins français tomberont sous le charme.

Fruits
125 ml (1/2 tasse) de sucre
2,5 ml (1/2 c. à thé) de fécule de maïs
1,5 litre (6 tasses) de bleuets frais

Pâte
310 ml (1 1/4 tasse) de farine tout usage non blanchie
125 ml (1/2 tasse) de sucre
5 ml (1 c. à thé) de poudre à pâte
60 ml (1/4 tasse) de beurre non salé, fondu
250 ml (1 tasse) de *ginger ale* ou soda citron-lime (7UP)

1 Régler le barbecue à puissance élevée.
2 POUR LES FRUITS Dans un bol, mélanger le sucre et la fécule. Ajouter les bleuets et bien mélanger. Répartir dans un moule jetable en aluminium carré de 20 cm (8 po). Presser légèrement et réserver.
3 POUR LA PÂTE Dans un bol, mélanger la farine, le sucre et la poudre à pâte. Ajouter le beurre en un filet et mélanger. Ajouter le *ginger ale* et mélanger à la cuillère de bois jusqu'à ce que le tout soit homogène. Répartir sur les fruits. Réduire la température du barbecue à puissance moyenne-basse. Déposer le pouding sur la grille du barbecue et fermer le couvercle. Cuire environ 30 minutes ou jusqu'à ce qu'un cure-dent inséré au centre de la pâte en ressorte propre. Pour une cuisson au four, placer la grille au centre du four. Préchauffer le four à 190 C° (375 °F). Y cuire le pouding dans un plat en pyrex pendant environ 1 h 20 ou jusqu'à ce qu'un cure-dent inséré au centre de la pâte en ressorte propre.
4 Laisser tiédir 15 minutes et servir avec une boule de crème glacée à la vanille.

recevoir les Français l'hiver

GAÉTAN
PORTELAN
GAÉTAN PO
(418) 3
CREVETTES
CHANCEUSES
POUR LA PECHE
EN VENTE ICI
POISSON
À VEND
16

SOUPE À L'OIGNON À LA BIÈRE

Préparation 20 MINUTES **Cuisson** 55 MINUTES **Portions** 6

2,5 litres (10 tasses) d'oignons émincés (environ 10 oignons moyens)
60 ml (1/4 tasse) de beurre
15 ml (1 c. à soupe) de farine
1 bouteille de 341 ml de bière blonde locale
15 ml (1 c. à soupe) de moutarde de Dijon
1 litre (4 tasses) de bouillon de poulet, environ
6 tranches épaisses de pain baguette, tranchées en biais et grillées
500 ml (2 tasses) de cheddar fort râpé
Sel et poivre

1 Dans une grande casserole antiadhésive, faire revenir les oignons dans le beurre à feu moyen à doux jusqu'à ce qu'ils soient dorés et tendres, soit environ 30 minutes. Saler et poivrer. Saupoudrer les oignons de farine et poursuivre la cuisson 1 minute. Ajouter la bière, la moutarde et porter à ébullition en remuant. Ajouter le bouillon et porter à ébullition. Laisser mijoter environ 10 minutes. Ajouter du bouillon de poulet au besoin. Rectifier l'assaisonnement.
2 Placer la grille au centre du four. Préchauffer le gril (*broil*).
3 Répartir la soupe dans quatre bols résistants à la chaleur. Déposer une tranche de pain sur chaque soupe et couvrir de fromage. Déposer les bols sur une plaque de cuisson et faire gratiner au four.

POISSONS DES CHENAUX À LA MEUNIÈRE (POÊLÉS AU BEURRE)

Préparation 15 MINUTES *Cuisson* 15 MINUTES *Portions* 4 ENTRÉES

La pêche aux petits poissons des chenaux est typique de la Mauricie, sur la rivière Sainte-Anne. Dans les cabanes installées sur la rivière gelée, on pêche le petit poisson, dont le nom scientifique est poulamon d'Atlantique, par un trou percé sur la glace. En janvier et en février, on en fait une activité festive et gourmande.

12 poissons des chenaux, parés sans la tête
180 ml (3/4 tasse) de farine tout usage non blanchie
75 ml (1/3 tasse) de beurre
Sel et poivre

1 Bien assécher les poissons des chenaux à l'aide de papier absorbant.
2 Dans un grand bol, placer la farine. Fariner les poissons. Secouer pour retirer l'excédent.
3 Dans une grande poêle antiadhésive, fondre le beurre jusqu'à ce qu'il mousse. Dorer les poissons des deux côtés jusqu'à ce que l'arête dorsale se retire facilement. Saler et poivrer généreusement. Servir immédiatement. Accompagner de quartiers de citron, si désiré.

POISSON
À
VENDRE

CHOWDER DE POISSON ET DE FRUITS DE MER

Préparation 15 MINUTES ***Cuisson*** 30 MINUTES ***Portions*** 4 À 6

2 boîtes de palourdes de 147 g (5 1/4 oz)
3 tranches de bacon, hachées
1 oignon, haché finement
250 ml (1 tasse) de céleri coupé en dés
875 ml (3 1/2 tasses) de bouillon de poulet
1 litre (4 tasses) de pommes de terre pelées et coupées en dés
375 ml (1 1/2 tasse) de grains de maïs frais ou surgelés
6 branches de thym frais
225 g (1/2 lb) de filets de poisson blanc (aiglefin, morue, etc.)
125 ml (1/2 tasse) de crème 35 %
Ciboulette fraîche, en décoration
Sel et poivre

1 Égoutter les palourdes et conserver le jus. Réserver.
2 Dans une casserole, dorer le bacon. Ajouter l'oignon et le céleri. Laisser attendrir quelques minutes. Saler et poivrer. Ajouter le bouillon, le jus des palourdes, les pommes de terre, le maïs et le thym. Porter à ébullition et laisser mijoter environ 20 minutes ou jusqu'à ce que les pommes de terre soient tendres. Retirer les branches de thym.
3 Au mélangeur, réduire en purée lisse le tiers de la soupe et la remettre dans la casserole. Ajouter le poisson, les palourdes et la crème. Porter de nouveau à ébullition et laisser mijoter doucement jusqu'à ce que le poisson soit cuit. Rectifier l'assaisonnement.
4 Parsemer de ciboulette.

BŒUF AU VIN ROUGE À LA MIJOTEUSE

Préparation 25 MINUTES *Cuisson* 6 H 15 *Portions* 4 À 6

On l'oublie souvent. La cocotte mijoteuse remplace avantageusement le poêle portable. Elle est parfaite pour réchauffer un pique-nique d'hiver à condition, bien sûr, d'avoir accès à l'électricité. Vous pouvez apporter votre repas n'importe où et régaler toute la compagnie, à l'occasion d'un souper « *potluck* », par exemple.

8 à 12 pommes de terre grelots (ou 4 pommes de terre moyennes, pelées et coupées en deux)
4 carottes, pelées et coupées en deux sur la longueur
1,5 kg (3 1/2 lb) de rôti de palette de bœuf sans os et coupé en gros cubes de 4 cm (1,5 po)
30 ml (2 c. à soupe) d'huile d'olive
2 oignons, coupés en quartiers
4 gousses d'ail, pelées et coupées en deux
30 ml (2 c. à soupe) de farine
250 ml (1 tasse) de vin rouge
250 ml (1 tasse) de bouillon de poulet
1 boîte de 398 ml (14 oz) de tomates en dés en conserve
3 branches de thym frais
Sel et poivre

1 Déposer les pommes de terre et les carottes dans le fond de la mijoteuse.
2 Dans une grande poêle, dorer la viande dans l'huile. Saler et poivrer. Déposer dans la mijoteuse.
3 Dans la même poêle, dorer les oignons et l'ail. Ajouter de l'huile au besoin. Saupoudrer de farine et poursuivre la cuisson 1 minute. Ajouter le vin et porter à ébullition en remuant. Verser dans la mijoteuse et ajouter le bouillon, les tomates et le thym. Couvrir et cuire à chaleur élevée environ 6 heures ou à chaleur douce environ 8 heures, jusqu'à ce que la viande se défasse à la fourchette. Retirer le thym. Rectifier l'assaisonnement. La recette peut aussi être cuite dans une casserole au four à 150 °C (300 °F) pendant environ 4 heures.

FILETS DE PORC CARAMÉLISÉS À L'ÉRABLE ET À LA BETTERAVE

Préparation 15 MINUTES *Cuisson* 30 MINUTES *Portions* 4

180 ml (3/4 tasse) de sirop d'érable
180 ml (3/4 tasse) de bouillon de poulet
1 betterave moyenne, pelée et coupée en dés
60 ml (1/4 tasse) de sauce anglaise Worcestershire
15 ml (1 c. à soupe) de graines de coriandre moulue
2 filets de porc
15 ml (1 c. à soupe) de beurre
Sel et poivre

1 Placer la grille au centre du four. Préchauffer le four à 180 °C (350 °F).
2 Dans une casserole, porter à ébullition le sirop d'érable, le bouillon, la betterave et la sauce anglaise. Laisser mijoter doucement jusqu'à ce que la sauce soit sirupeuse, soit environ 20 minutes.
3 Saupoudrer la coriandre sur les filets de porc. Saler et poivrer.
4 Dans une poêle allant au four, dorer la viande dans le beurre. Ajouter la sauce et cuire au four environ 15 minutes. Retirer la poêle du four. Réserver les filets sur une assiette et couvrir de papier d'aluminium. Faire réduire la sauce de nouveau à feu vif jusqu'à ce qu'elle soit très sirupeuse. Pour une belle présentation des filets entiers, remettre les filets dans la poêle après la réduction et bien les enrober.
5 Trancher la viande finement et napper de sauce.
6 Accompagner de céleri rôti aux 20 gousses d'ail (voir recette p. 141), de purée de chou-fleur (voir recette p. 141) ou de gratin de topinambours (voir recette p. 140).

GRATIN DE TOPINAMBOURS

Préparation 40 MINUTES *Cuisson* 50 MINUTES *Portions* 6

Je raffole du topinambour et j'adore le faire goûter aux autres. Ce tubercule originaire d'Amérique du Nord fait un retour en force dans la cuisine d'ici. Sa couleur, sa peau fine, sa forme irrégulière rappellent le gingembre. Mais là s'arrêtent les comparaisons puisque son goût se rapproche plutôt de celui de l'artichaut, d'où son nom en anglais *Jerusalem artichoke*. Aussitôt qu'il est pelé, plongez-le dans de l'eau citronnée, sinon il noircira rapidement.

500 ml (2 tasses) de crème 35 %
1 œuf, légèrement battu
1 gousse d'ail, hachée finement
1 ml (1/4 c. à thé) de muscade moulue
1 kg (2 lb) de topinambours, pelés et tranchés le plus finement possible
(750 g / 1 3/4 lb une fois pelés)
Sel et poivre

1 Placer la grille au centre du four. Préchauffer le four à 200 °C (400 °F).

2 Dans un bol, mélanger la crème, l'œuf, l'ail et la muscade. Ajouter les topinambours. Saler et poivrer. Répartir dans un plat de cuisson en pyrex carré de 20 cm (8 po). Cuire au four environ 50 minutes ou jusqu'à tendreté. Servir en accompagnement du porc ou du bœuf.

PURÉE DE CHOU-FLEUR

Préparation 10 MINUTES ***Cuisson*** 20 MINUTES ***Portions*** 4 À 6

1 oignon, haché
60 ml (1/4 tasse) de beurre
1 chou-fleur moyen, coupé en morceaux
4 gousses d'ail, pelées
750 ml (3 tasses) de lait
Sel et poivre

1 Dans une casserole, attendrir l'oignon dans la moitié du beurre. Ajouter le chou-fleur, l'ail et le lait. Saler et poivrer. Porter à ébullition. Couvrir et laisser mijoter doucement environ 15 minutes ou jusqu'à ce que le chou-fleur soit tendre. Bien égoutter et réserver le lait pour un autre usage comme préparer une crème de chou-fleur.
2 Au robot, réduire le chou-fleur en purée lisse avec environ 60 ml (1/4 tasse) de lait de cuisson et le reste du beurre. Rectifier l'assaisonnement.
3 Servir avec du porc, du bœuf ou du poulet.

CÉLERI RÔTI AUX 20 GOUSSES D'AIL

Préparation 10 MINUTES ***Cuisson*** 20 MINUTES ***Portions*** 4

8 branches de céleri, coupées en biseaux de 1 cm (1/2 po) d'épaisseur
20 gousses d'ail, pelées et coupées en deux
30 ml (2 c. à soupe) d'huile d'olive
Fleur de sel ou sel de mer
30 ml (2 c. à soupe) de feuilles de céleri, ciselées

1 Placer la grille au centre du four. Préchauffer le four à 180°C (350 °F).
2 Sur une plaque de cuisson, mélanger le céleri, l'ail et l'huile. Saler. Cuire au four 10 minutes. Remuer et poursuivre la cuisson environ 10 minutes. Parsemer de feuilles de céleri et rectifier l'assaisonnement.
3 Servir avec du porc, du bœuf ou du poulet.

ORD
Québec
REESE

17

POUDING AU CHOCOLAT

Préparation 30 MINUTES ***Cuisson*** 1 HEURE ***Portions*** 10

Sauce
750 ml (3 tasses) de cassonade
180 ml (3/4 tasse) de cacao, tamisé
10 ml (2 c. à thé) de fécule de maïs
625 ml (2 1/2 tasses) d'eau
125 ml (1/2 tasse) de crème 35 %
2,5 ml (1/2 c. à thé) d'extrait de vanille

Gâteau
250 ml (1 tasse) de lait
125 ml (1/2 tasse) de cacao, tamisé
375 ml (1 1/2 tasse) de farine tout usage non blanchie
5 ml (1 c. à thé) de bicarbonate de soude
1 pincée de sel
125 ml (1/2 tasse) de beurre non salé ramolli
375 ml (1 1/2 tasse) de sucre
2 œufs

1 Placer la grille au centre du four. Préchauffer le four à 180 °C (350 °F). Beurrer un plat de cuisson en pyrex ou en aluminium de 33 x 23 cm (13 x 9 po).
2 POUR LA SAUCE Dans une casserole, mélanger la cassonade, le cacao et la fécule. Ajouter l'eau et la crème. Porter à ébullition en remuant constamment à l'aide d'un fouet. Incorporer la vanille. Réserver.
3 POUR LE GÂTEAU Dans une petite casserole, porter à ébullition le lait et le cacao en remuant constamment à l'aide d'un fouet. Laisser tiédir.
4 Dans un bol, mélanger la farine, le bicarbonate de soude et le sel. Réserver.
5 Dans un autre bol, mélanger le beurre et le sucre au batteur électrique jusqu'à ce que le mélange prenne une texture granuleuse. Ajouter les œufs et mélanger jusqu'à ce que le tout soit lisse. Incorporer les ingrédients secs en alternant avec le mélange de cacao. Répartir la pâte dans le moule.
6 Verser la sauce chaude délicatement sur la pâte. Cuire au four environ 45 minutes ou jusqu'à ce qu'un cure-dent inséré au centre du gâteau en ressorte propre. Servir tiède ou chaud.

VERRINE AUX POMMES ET À L'ÉRABLE

Préparation 40 MINUTES *Cuisson* 40 MINUTES *Réfrigération* 4 HEURES *Portions* 6

Ce dessert est mon interprétation de deux classiques québécois: la tarte au sucre et la croustade aux pommes, servis en verrine.

Gelée de sirop d'érable
10 ml (2 c. à thé) de gélatine
250 ml (1 tasse) d'eau
180 ml (3/4 tasse) de sirop d'érable

Pommes confites à l'érable
125 ml (1/2 tasse) de sirop d'érable
4 pommes Royal Gala ou Cortland, pelées et coupées en dés

Croustillant
125 ml (1/2 tasse) de farine tout usage non blanchie
45 ml (3 c. à soupe) de cassonade
1 ml (1/4 c. à thé) de sel
60 ml (1/4 tasse) de beurre non salé, ramolli

Crème fouettée
125 ml (1/2 tasse) de crème 35 %
15 ml (1 c. à soupe) de sirop d'érable
60 ml (1/4 tasse) de crème sure

1 POUR LA GELÉE DE SIROP D'ÉRABLE Dans un bol, saupoudrer la gélatine sur 60 ml (1/4 tasse) d'eau et laisser gonfler 5 minutes. Réserver.

2 Dans une casserole, porter à ébullition le reste des ingrédients. Ajouter la gélatine et mélanger jusqu'à ce qu'elle soit dissoute. Répartir la gelée dans six jolis verres ou dans des petits pots à conserve. Réfrigérer environ 4 heures.

3 POUR LES POMMES CONFITES À L'ÉRABLE Dans une grande poêle, porter à ébullition le sirop d'érable et les pommes. Laisser mijoter en remuant fréquemment jusqu'à ce que les pommes soient tendres et que le jus soit sirupeux. Laisser tiédir et réfrigérer jusqu'à refroidissement complet soit environ 2 heures. Égoutter les pommes.

4 POUR LE CROUSTILLANT Placer la grille au centre du four. Préchauffer le four à 180 °C (350 °F). Tapisser une plaque à biscuits de papier parchemin.

5 Au robot, mélanger les ingrédients secs. Ajouter le beurre et mélanger quelques secondes à la fois jusqu'à ce que le tout prenne une texture granuleuse.

6 Répartir sur la plaque. Cuire au four environ 10 minutes. Remuer et poursuivre la cuisson environ 7 minutes ou jusqu'à ce que le croustillant soit bien doré. Laisser refroidir complètement.

7 POUR LA CRÈME FOUETTÉE Dans un bol, fouetter la crème et le sirop d'érable jusqu'à l'obtention de pics mous. Incorporer la crème sure et fouetter jusqu'à ce que le mélange soit homogène.

8 POUR LE MONTAGE Répartir la crème fouettée sur les gelées de sirop d'érable. Y répartir les pommes. Garnir de croustillant.

BISCOTTIS À L'ÉRABLE ET AUX PACANES

Préparation 15 MINUTES *Cuisson* 50 MINUTES *Rendement* 20

250 ml (1 tasse) de farine tout usage non blanchie
150 ml (2/3 tasse) de sucre d'érable granulé
2,5 ml (1/2 c. à thé) de poudre à pâte
60 ml (1/4 tasse) de beurre non salé froid, coupé en cubes
1 œuf, légèrement battu
2,5 ml (1/2 c. à thé) d'extrait de vanille
125 ml (1/2 tasse) de demi-pacanes grillées
Lait pour badigeonner

1 Placer la grille au centre du four. Préchauffer le four à 180 °C (350 °F). Tapisser une plaque à biscuits de papier parchemin.
2 Dans le bol du robot culinaire, mélanger la farine, 125 ml (1/2 tasse) de sucre d'érable et la poudre à pâte. Ajouter le beurre et mélanger jusqu'à l'obtention d'une texture grumeleuse. Ajouter l'œuf et la vanille. Mélanger légèrement.
3 Placer la pâte dans un bol et finir de la mélanger avec les mains, en ajoutant les pacanes.
4 Sur un plan de travail fariné, former un rouleau de 30 cm (12 po) de longueur. Déposer le rouleau sur la plaque. Cuire au four 30 minutes. Transférer sur une planche de travail.
5 Laisser refroidir le rouleau environ 15 minutes. Badigeonner de lait et saupoudrer du reste de sucre d'érable.
6 À l'aide d'un couteau à pain bien tranchant, couper le rouleau à la diagonale en tranches de 2 cm (3/4 po).
7 Déposer les tranches sur la même plaque de cuisson, remettre au four et cuire environ 20 minutes. Laisser refroidir sur une grille.

Il est toujours bon d'épater le patron. Mais il ne faut jamais *essayer* de le faire. Si la tentative est visible, on est «téteux». Si on échoue, on est un incompétent. Mais comment l'épater sans que ça se remarque? En l'inondant de champagne et de caviar? Je ne connais pas votre patron, mais le mien a plus d'argent que moi. Beaucoup plus. Il peut déjeuner au champagne et au caviar. Alors, réaliser des pièces montées dignes d'un architecte de Dubaï? Il se demandera où vous avez trouvé le temps pour cuisiner ces chefs-d'œuvre et en conclura que vous l'avez pris sur vos heures de bureau. Pour impressionner le patron à la maison, on doit utiliser le même procédé qu'au bureau: faire ce qu'il est incapable de faire. Dans le cas de certains patrons, c'est très large comme concept, j'en conviens. Au travail, on n'épate pas le *boss* en tentant de l'imiter. On aborde les dossiers avec un nouvel angle. À table, on n'épate personne en tentant de copier les grands chefs. On éblouit en choisissant de bons et beaux produits, en soignant simplement la présentation, en imaginant un nouvel angle, une nouvelle forme. La simplicité est décidément toujours gagnante.

chérie, j'ai invité
LE BOSS
À SOUPER

chic et de bon goût

MARTINI AU LITCHI

Préparation 10 MINUTES *Portions* 6

À défaut de trouver du jus de litchi, utilisez le sirop des litchis en conserve.

6 litchis frais, pelés et dénoyautés ou en conserve
250 ml (1 tasse) de jus de litchi
125 ml (1/2 tasse) de jus de pamplemousse rose, fraîchement pressé idéalement
125 ml (1/2 tasse) de vodka, glacée
Glaçons
6 fines tranches de lime

1 Congeler les litchis. Dans un shaker ou un petit pichet, mélanger le jus de litchi et de pamplemousse, la vodka et les glaçons. Bien mélanger. Verser dans des verres à martini. Décorer d'un litchi congelé et d'une tranche de lime.

VELOUTÉ D'ÉCHALOTES FRANÇAISES

Préparation 10 MINUTES *Cuisson* 30 MINUTES *Portions* 4 À 6

350 g (3/4 lb) d'échalotes françaises, pelées et coupées en quartiers (500 ml / 2 tasses)
30 ml (2 c. à soupe) de beurre
1 litre (4 tasses) de bouillon de poulet
125 ml (1/2 tasse) de crème 35 %
3 jaunes d'œufs
Sel et poivre

1 Dans une casserole, attendrir les échalotes dans le beurre. Ajouter le bouillon et porter à ébullition. Couvrir et laisser mijoter doucement environ 20 minutes, jusqu'à ce que les échalotes soient tendres.
2 Au mélangeur, réduire en purée lisse et remettre dans la casserole.
3 Dans un bol, mélanger la crème et les jaunes d'œufs. Verser le mélange en filet dans la soupe chaude en remuant.
4 Réchauffer doucement en remuant à la cuillère de bois sans porter à ébullition, jusqu'à ce que le velouté épaississe légèrement. Saler et poivrer. Si le velouté doit attendre, réchauffer sans bouillir.

HUÎTRES AU PAMPLEMOUSSE ROSE

Préparation 30 MINUTES ***Rendement*** 12 HUÎTRES

1 pamplemousse rose
30 ml (2 c. à soupe) de vinaigre de riz
10 ml (2 c. à thé) de ciboulette fraîche ciselée
Le zeste râpé de 1 citron
15 ml (1 c. à soupe) de jus de citron
5 ml (1 c. à thé) de sucre
12 huîtres fraîches, nettoyées
Glace concassée ou gros sel de mer

1 Couper le pamplemousse en suprêmes. Pour ce faire, peler le pamplemousse à vif. Couper les deux extrémités du fruit. Placer l'un des côtés coupés sur une planche à découper pour que le fruit soit bien stable. Glisser un couteau bien tranchant entre la pulpe et l'écorce, pour la retirer en enlevant aussi la partie blanche. Tenir ensuite le fruit dans la main et insérer la lame du couteau entre les membranes, pour soulever les quartiers de pulpe: les suprêmes. Travailler au dessus d'un bol pour récupérer le jus.
2 Couper les suprêmes en petits morceaux. Déposer dans un bol. Presser le reste du pamplemousse au-dessus du bol pour obtenir le jus. Ajouter le reste des ingrédients sauf les huîtres. Réfrigérer pendant la préparation des huîtres.
3 Ouvrir les huîtres et détacher les mollusques de leur coquille. Placer les huîtres sur un plat de service couvert de glace concassée ou de gros sel. Y répartir la garniture. Servir immédiatement.

RILLETTES DE TRUITE FUMÉE

Préparation 5 MINUTES ***Cuisson*** 10 MINUTES ***Refroidissement*** 3 HEURES ***Portions*** 6

180 ml (3/4 tasse) de crème 35 %
1 échalote française, émincée
2 branches de thym frais
2,5 ml (1/2 c. à thé) de poivre noir, concassé
30 ml (2 c. à soupe) de beurre non salé
150 g (5 oz) de truite fumée tranchée
2 jaunes d'œufs
15 ml (1 c. à soupe) de brandy

1 Dans une casserole, porter à ébullition la crème, l'échalote, le thym, le poivre et le beurre. Laisser réduire de moitié à feu moyen. Passer la crème au tamis et la remettre dans la casserole. Ajouter la truite et poursuivre la cuisson à feu moyen 3 minutes en remuant.
2 Dans un bol, mélanger les jaunes d'œufs et le brandy. En fouettant, y verser un peu de la crème chaude pour tempérer le mélange. Verser ce mélange dans la casserole et porter à ébullition en fouettant.
3 Verser les rillettes dans deux ramequins d'une contenance de 125 ml (1/2 tasse) et couvrir d'une pellicule de plastique. Réfrigérer 3 heures. Servir avec des tranches de pain baguette grillées et des marinades (*pickles*, oignons marinés). Les rillettes sont meilleures servies légèrement tempérées.

FOIE GRAS AU TORCHON

Préparation 15 MINUTES *Réfrigération* 48 HEURES *Cuisson* 25 MINUTES *Portions* 8 À 10

1 foie gras de canard cru et entier de 454 g (1 lb)
250 ml (1 tasse) de cidre de glace ou de vin de glace
Bouillon de poulet pour couvrir le foie gras

1 Laisser reposer le foie gras à la température ambiante pendant 1 heure.
2 Pratiquer une incision au centre du foie et l'ouvrir délicatement. Le dénerver : retirer délicatement les vaisseaux sanguins à l'aide d'une petite pince à épiler ou avec le bout d'un couteau.
3 Saler et poivrer le foie des deux côtés. Le déposer dans un moule en verre. Ajouter l'alcool. Couvrir et réfrigérer 24 heures.
4 Sortir le foie gras du réfrigérateur et le laisser à la température ambiante 30 minutes. Égoutter et réserver la marinade.
5 Enrouler le foie gras dans une étamine (coton à fromage) propre en lui donnant la forme d'un cylindre d'environ 7,5 cm (3 po) de diamètre. Bien l'envelopper dans une pellicule de plastique et nouer les deux extrémités.
6 Dans une casserole, verser la marinade et suffisamment de bouillon pour couvrir le foie gras. Suspendre un thermomètre sur le rebord de la casserole et chauffer jusqu'à ce qu'il indique 60 °C (140 °F). À ce moment, déposer le foie gras dans le bouillon et pocher 25 minutes, en conservant la température du bouillon à 60 °C (140 °F).
7 Retirer le foie gras et le réfrigérer 24 heures.
8 Retirer la pellicule de plastique puis l'étamine. Trancher et servir en entrée avec du pain brioché et de la fleur de sel, ou utiliser une partie pour préparer le poulet rôti au foie gras (voir recette p. 173).

TARTARE DE PÉTONCLES

Préparation 15 MINUTES *Réfrigération* 30 MINUTES *Portions* 12 BOUCHÉES

Le caviar impressionne la galerie. Mais combien de gens apprécient vraiment les œufs de poisson? Saviez-vous que l'on produit chez nous, en Abitibi, un caviar d'esturgeon — seuls les œufs d'esturgeon peuvent porter le nom de caviar — absolument délicieux? Afin de n'effaroucher personne, on ne s'en sert ici que comme décoration. Tout le monde pourra ainsi apprivoiser en douceur son goût singulier.

225 g (1/2 lb) de pétoncles très frais, hachés au couteau
30 ml (2 c. à soupe) de canneberges séchées, hachées finement
30 ml (2 c. à soupe) de ciboulette fraîche ciselée
30 ml (2 c. à soupe) de jus de pamplemousse
15 ml (1 c. à soupe) d'huile d'olive
Caviar ou œufs de poisson, pour décorer
Sel et poivre

1 Dans un bol, mélanger tous les ingrédients à l'exception du caviar. Saler et poivrer. Réfrigérer environ 30 minutes.
2 Servir dans 12 cuillères à soupe wonton. Décorer de caviar.

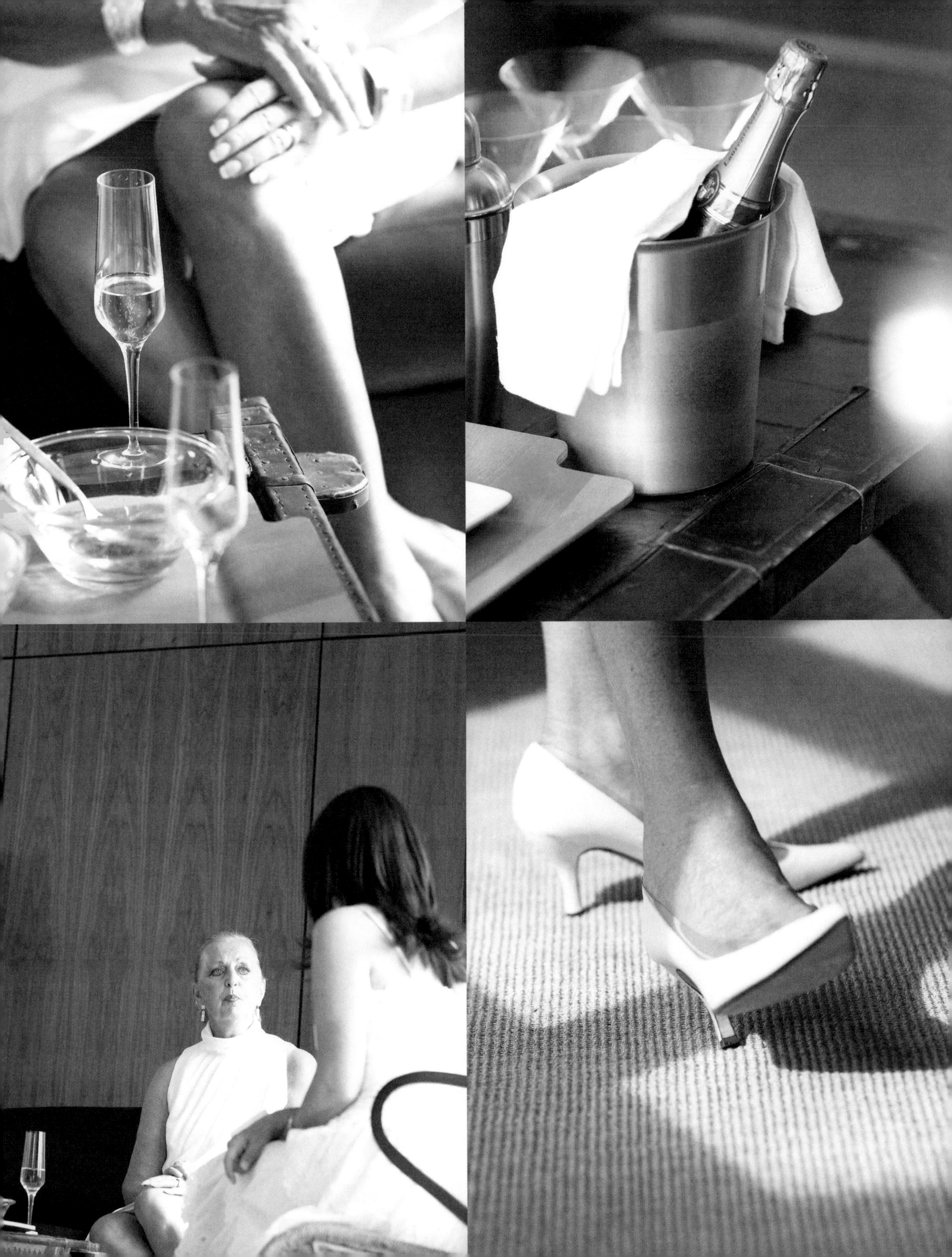

« CAPPUCCINO » DE BŒUF ET SA MOUSSE DE PANAIS

Préparation 20 MINUTES *Cuisson* 1 H 30 *Réfrigération* 45 MINUTES *Portions* 6 À 8

Pour épater, il faut choisir des noms qui impressionnent. C'est ainsi qu'un simple bouillon de bœuf se transforme en « cappuccino ». Dans le même esprit, désignez un potage de carottes par son appellation noble (Crécy) et décorez-le d'une garniture raffinée.

Mousse de panais
500 ml (2 tasses) de panais pelés et coupés en cubes
15 ml (1 c. à soupe) de beurre
150 ml (2/3 tasse) de lait
150 ml (2/3 tasse) de crème 35 %, fouettée

Bouillon de bœuf
1,5 kg (3 lb) d'os de bœuf
3 carottes, coupées en tronçons
3 branches de céleri, coupées en tronçons
2 gousses d'ail, pelées
1 oignon, coupé en quartiers
30 ml (2 c. à soupe) d'huile d'olive
1,5 litre (6 tasses) d'eau
Sel et poivre

1 POUR LA MOUSSE DE PANAIS Dans une casserole, couvrir les panais d'eau. Saler et porter à ébullition. Cuire les panais jusqu'à ce qu'ils soient tendres. Égoutter.
2 Au robot culinaire, réduire les panais et le beurre en purée. Ajouter le lait en un filet et réduire en purée lisse. Réfrigérer 45 minutes ou jusqu'à ce que la purée soit bien froide.
3 Dans un bol, mélanger délicatement la purée et la crème fouettée. Réserver au réfrigérateur.
4 POUR LE BOUILLON DE BŒUF Placer la grille au centre du four. Préchauffer le four à 260 °C (500 °F).
5 Sur une plaque de cuisson, mélanger tous les ingrédients sauf l'eau. Saler. Cuire de 35 à 45 minutes, jusqu'à ce que les os soient bien dorés en les retournant trois fois pendant la cuisson. Retirer du four et mettre dans une casserole. Ajouter l'eau, porter à ébullition et laisser mijoter de 40 à 45 minutes. Passer le bouillon au tamis et dégraisser.
6 Au micro-ondes, chauffer la mousse de panais environ 2 minutes. Verser le bouillon chaud dans les tasses à espresso ou à cappuccino et garnir de mousse de panais. Moudre du poivre sur le dessus. Servir avec une petite cuillère.

RECETTE P167

AILES DE RAIE, SAUCE AU CRESSON

Préparation 15 MINUTES *Cuisson* 20 MINUTES *Portions* 4 PLATS OU 8 ENTRÉES

1,5 kg (3 lb) d'ailes de raie, sans la peau des deux côtés, coupées en 4 ou en 8, rincées et épongées
30 ml (2 c. à soupe) d'huile d'olive
30 ml (2 c. à soupe) de beurre
Sel et poivre

Sauce au cresson
1 petit oignon, haché finement
2 gousses d'ail, hachées finement
30 ml (2 c. à soupe) d'huile d'olive
1 litre (4 tasses) de cresson
60 ml (1/4 tasse) de bouillon de poulet
125 ml (1/2 tasse) de crème 35 %

1 Placer la grille au centre du four. Préchauffer le four à 180 °C (350 °F). Tapisser une plaque de cuisson de papier parchemin.
2 Dans une grande poêle antiadhésive, dorer légèrement les ailes des deux côtés, deux morceaux à la fois, dans la moitié de l'huile et du beurre. Saler et poivrer. Les déposer sur la plaque. Cuire au four environ 20 minutes ou jusqu'à ce que la chair se détache facilement du cartilage.
3 POUR LA SAUCE AU CRESSON Entre-temps, dans la même poêle, attendrir l'oignon et l'ail dans l'huile. Ajouter le cresson et faire revenir environ 2 minutes. Ajouter le bouillon, la crème et poursuivre la cuisson environ 2 minutes. Saler et poivrer.
4 Au mélangeur, réduire la sauce en purée lisse. Rectifier l'assaisonnement. Servir avec la raie en entrée ou en plat principal.

MAGRETS DE CANARD, SAUCE AUX ÉPICES ET AU WHISKY

Préparation 30 MINUTES *Cuisson* 30 MINUTES *Portions* 4

Si vous voulez faire chic, le canard est parfait. Poitrine ou magret de canard? Il s'agit de la même pièce de viande, mais le deuxième provient d'un animal gavé, il est donc plus gros. Le magret exige une cuisson minute, alors mieux vaut ne pas en servir si vous attendez plus de six personnes. Dans ce cas, puisez dans les suggestions de mijotés ou de plats au four du chapitre «Ils sont toujours en retard».

Sauce

2 échalotes françaises, hachées finement
60 ml (1/4 tasse) de miel
60 ml (1/4 tasse) de whisky ou de scotch
500 ml (2 tasses) de bouillon de poulet
4 à 6 anis étoilés au goût
5 ml (1 c. à thé) de poivre concassé
1 clou de girofle
Sel

Canard

2 magrets de canard d'environ 454 g (1 lb) chacun ou 4 poitrines
3 gousses d'ail, pelées
3 branches de thym frais
Sel et poivre

1 POUR LA SAUCE Dans une petite casserole, faire revenir les échalotes et le miel jusqu'à ce que le miel commence à caraméliser. Déglacer avec le whisky et flamber si désiré. Ajouter le reste des ingrédients. Porter à ébullition et laisser réduire de moitié. Saler. Réserver.

2 POUR LE CANARD Placer la grille au centre du four. Préchauffer le four à 180 °C (350 °F). À l'aide d'un couteau bien aiguisé, quadriller le gras de chaque magret, sans couper la viande. Saler et poivrer.

3 Dans une poêle allant au four, dorer les magrets, côté gras en dessous, avec l'ail et le thym de 12 à 15 minutes à feu moyen à doux ou jusqu'à ce que le gras du magret soit croustillant. Retirer le surplus de gras. Retourner les magrets et poursuivre la cuisson à feu moyen environ 2 minutes. Cuire au four de 5 à 7 minutes pour une viande rosée. Réserver les magrets sur une assiette. Couvrir de papier d'aluminium et laisser reposer environ 5 minutes. Dégraisser la poêle et déglacer la poêle avec la sauce.

4 Trancher les magrets. Servir avec une purée de pommes de terre (voir recette p. 171) et des légumes au choix (voir la recette de minilégumes rôtis à l'huile d'olive p. 170). Napper la viande de sauce.

MINILÉGUMES RÔTIS À L'HUILE D'OLIVE

Préparation 10 MINUTES *Cuisson* 45 MINUTES *Portions* 4

À défaut d'avoir des minilégumes, choisissez des légumes élégants, comme des carottes fanes (avec leurs petits bouts de tige) et des asperges.

8 oignons perlés ou cipollinis, pelés
8 minipoivrons de couleur variée
8 minipâtissons de couleur variée
4 miniaubergines, coupées en deux
4 minicourgettes
30 ml (2 c. à soupe) d'huile d'olive
1 branche de romarin frais
1 branche de thym frais
15 ml (1 c. à soupe) de ciboulette fraîche ciselée
Sel et poivre

1 Placer la grille au centre du four. Préchauffer le four à 180 °C (350 °F).
2 Dans un plat de cuisson d'environ 33 x 23 cm (13 x 9 po), mélanger tous les ingrédients à l'exception de la ciboulette. Saler et poivrer. Cuire au four environ 45 minutes ou jusqu'à ce que les légumes soient tendres. Parsemer de ciboulette.
3 Servir avec le canard, la volaille ou du bœuf.

PURÉE DE POMMES DE TERRE CLASSIQUE

Préparation 15 MINUTES *Cuisson* 15 MINUTES *Portions* 6

1,5 litre (6 tasses) de pommes de terre Yukon Gold, pelées et coupées en morceaux (environ 8 pommes de terre)
4 gousses d'ail, pelées
60 ml (1/4 tasse) de beurre
125 ml (1/2 tasse) de lait, environ
Sel et poivre

1 Dans une casserole d'eau salée, cuire les pommes de terre avec l'ail jusqu'à ce qu'elles soient tendres, soit environ 15 minutes. Égoutter.
2 À l'aide d'un pilon, écraser les pommes de terre et l'ail avec le beurre. Puis, à l'aide d'un batteur électrique, réduire le mélange en purée avec le lait. Saler et poivrer. Pour une purée différente, remplacer le lait par du lait de beurre (babeurre) et y ajouter un peu de ciboulette fraîche ciselée.

POULET RÔTI AU FOIE GRAS

Préparation 25 MINUTES ***Réfrigération*** 2 HEURES ***Cuisson*** 1 H 35 ***Portions*** 4 À 6

Poulet farci
125 ml (1/2 tasse) de gras de canard ou de beurre, ramolli
125 g (1/4 lb) de foie gras au torchon, tempéré (voir recette p. 159 ou l'acheter chez le boucher)
1 poulet d'environ 2 kg (4 lb)
15 ml (1 c. à soupe) de chapelure de pain
Sel et poivre

Sauce (facultative)
125 ml (1/2 tasse) de bouillon de poulet
60 ml (1/4 tasse) de vin de glace ou de Sauternes
30 ml (2 c. à soupe) de farine

1 Tapisser une plaque de cuisson de papier parchemin.
2 POUR LE POULET FARCI Réserver 15 ml (1 c. à soupe) de gras. Au robot, mélanger le foie gras et le reste du gras de canard.
3 Sur une planche à découper, ouvrir le poulet en crapaudine. Pour ce faire, placer le poulet sur le dos. Enfoncer un couteau du chef au centre et fendre les os du dos.
4 Avec les doigts, détacher doucement la peau de la poitrine et des cuisses du poulet sans la déchirer. Farcir du mélange de foie gras en l'étendant uniformément sous la peau. Placer le poulet à plat, sur la plaque. Réfrigérer 2 heures pour faire figer le foie gras.
5 Placer la grille au centre du four. Préchauffer le four à 190 °C (375 °F).
6 Badigeonner le poulet avec le gras de canard réservé et saupoudrer de chapelure. Saler et poivrer.
7 Cuire au four de 1 h 15 à 1 h 30 ou jusqu'à ce que le thermomètre inséré dans la cuisse sans toucher l'os indique 82 °C (180 °F). Réserver le poulet au chaud et conserver le jus et le gras de cuisson pour faire la sauce.
8 POUR LA SAUCE Dans une casserole, mélanger le bouillon, le vin de glace et la farine à l'aide d'un fouet jusqu'à ce que le mélange soit lisse et homogène. Ajouter le jus, le gras de cuisson et porter à ébullition en remuant à l'aide d'un fouet. Laisser mijoter doucement environ 2 minutes. Rectifier l'assaisonnement.
9 Accompagner d'une purée de pommes de terre (voir recette p. 171) et de carottes.

RECETTE P177

FIGUES RÔTIES AU MIEL ET CRÈME GLACÉE AUX AMANDES CARAMÉLISÉES

Préparation 15 MINUTES *Cuisson* 25 MINUTES *Congélation* 2 H 15 *Portions* 8

J'ai dégusté pour la première fois ce dessert divin dans un restaurant italien. Sa simplicité m'a renversé. Je n'aurais jamais imaginé que l'on puisse faire un mets aussi délicieux avec de simples figues rôties et un peu de miel. Depuis, je me prends pour un Italien et je cultive un figuier dans mon potager. L'automne venu, l'arbre trouve une place dans ma cave à vin pour l'hiver. Cette année, j'ai eu une vingtaine de fruits.

Crème glacée
125 ml (1/2 tasse) d'amandes en bâtonnets
60 ml (1/4 tasse) de miel
500 ml (2 tasses) de crème glacée à la vanille très ferme
30 ml (2 c. à soupe) de beurre d'amande

Figues rôties
8 grosses figues fraîches
8 petites branches de thym frais
125 ml (1/2 tasse) de miel

1 Tapisser une plaque de cuisson de papier parchemin.
2 POUR LA CRÈME GLACÉE Dans une poêle chaude, cuire les amandes et le miel à feu moyen en remuant jusqu'à ce que le miel caramélise et prenne une teinte légèrement plus foncée. Verser et étaler le mélange en une mince couche sur la plaque. Placer la plaque au congélateur de 15 à 30 minutes ou jusqu'à ce que la nougatine soit bien durcie. Casser la nougatine en morceaux et réserver sur du papier parchemin, au froid, huit petits éclats pour décorer.
3 Au robot, mélanger la crème glacée et le beurre d'amande jusqu'à ce que le mélange soit homogène. Ajouter les morceaux de nougatine et mélanger quelques secondes à la fois jusqu'à ce que les amandes soient hachées finement. Cette étape doit se faire rapidement. Verser dans un contenant hermétique. Congeler environ 2 heures ou jusqu'à ce que la crème glacée soit ferme.
4 POUR LES FIGUES RÔTIES Placer la grille au centre du four. Préchauffer le four à 180 °C (350 °F).
5 À l'aide d'un couteau, inciser en croix la tête de chaque figue et les déposer debout dans un moule en pyrex carré de 20 cm (8 po). Ajouter les branches de thym et verser le miel sur les figues. Cuire au four environ 20 minutes ou jusqu'à ce que les figues soient gonflées et entrouvertes par la chaleur. Arroser les figues de miel plusieurs fois durant la cuisson.
6 Servir une figue par personne et accompagner d'une boule de crème glacée aux amandes caramélisées. Arroser de miel et décorer d'un éclat de nougatine. Décorer de thym.

GÂTEAU AU MUSCAT ET AUX RAISINS ROUGES

Préparation 20 MINUTES *Cuisson* 1 H 10 *Portions* 8

500 ml (2 tasses) de farine tout usage non blanchie
10 ml (2 c. à thé) de poudre à pâte
2,5 ml (1/2 c. à thé) de sel
125 ml (1/2 tasse) de beurre non salé ramolli
180 ml (3/4 tasse) de sucre
60 ml (1/4 tasse) d'huile végétale
Le zeste râpé de 1 orange
5 ml (1 c. à thé) d'extrait de vanille
2 œufs
250 ml (1 tasse) de vin de muscat
500 ml (2 tasses) de raisins rouges sans pépins
30 ml (2 c. à soupe) de miel

1 Placer la grille au centre du four. Préchauffer le four à 180 °C (350 °F). Tapisser le fond d'un moule à charnière de 20 cm (8 po) de papier parchemin et beurrer.
2 Dans un bol, mélanger la farine, la poudre à pâte et le sel. Réserver.
3 Dans un autre bol, crémer le beurre avec le sucre, l'huile, le zeste d'orange et la vanille au batteur électrique. Ajouter les œufs, un à la fois, et battre jusqu'à ce que le mélange soit homogène. À basse vitesse, incorporer les ingrédients secs en alternant avec le vin de muscat.
4 À l'aide d'une spatule, incorporer la moitié des raisins.
5 Verser la pâte dans le moule. Répartir le reste des raisins sur la pâte et les enfoncer légèrement. Verser le miel en filet sur la pâte. Cuire au four environ 1 h 10 ou jusqu'à ce qu'un cure-dent inséré au centre en ressorte propre.
6 Laisser tiédir. Démouler et laisser refroidir sur une grille.

PARFAIT GLACÉ À L'ÉRABLE ET AUX PACANES PRALINÉES

Préparation 40 MINUTES *Cuisson* 20 MINUTES *Réfrigération* 30 MINUTES
Congélation 6 HEURES *Portions* 8

Caramel à l'érable
125 ml (1/2 tasse) de sirop d'érable
15 ml (1 c. à soupe) de sirop de maïs
60 ml (1/4 tasse) de crème 35 %, chaude

Pacanes pralinées
45 ml (3 c. à soupe) de sirop d'érable
15 ml (1 c. à soupe) de sirop de maïs
125 ml (1/2 tasse) de demi-pacanes, grillées

Crème glacée
375 ml (1 1/2 tasse) de crème 35 %
60 ml (1/4 tasse) de sucre
500 ml (2 tasses) de crème glacée à la vanille, tempérée environ 15 minutes au réfrigérateur

1 POUR LE CARAMEL À L'ÉRABLE Dans une casserole, porter les deux sirops à ébullition. Cuire sans remuer jusqu'à ce qu'un thermomètre à bonbons indique 132 °C (270 °F). Hors du feu, ajouter graduellement la crème. Attention aux éclaboussures. Porter de nouveau à ébullition en remuant jusqu'à ce que le mélange soit homogène. Retirer du feu et verser dans un grand bol (le caramel refroidira plus vite). Mettre au congélateur et remuer fréquemment jusqu'à ce que le caramel soit tempéré, soit de 15 à 20 minutes.
2 Tapisser un moule carré en pyrex de 20 cm (8 po) légèrement huilé d'une pellicule de plastique. Tapisser une plaque à biscuits de papier parchemin.
3 POUR LES PACANES PRALINÉES Dans une petite casserole, porter les deux sirops à ébullition. Cuire sans remuer jusqu'à ce que le sirop commence à caraméliser, soit environ 1 minute. Ajouter les pacanes et bien les enrober. Répartir sur la plaque. Laisser refroidir. Hacher et réserver.
4 POUR LA CRÈME GLACÉE Dans un bol, fouetter la crème avec le sucre au batteur électrique jusqu'à ce qu'elle forme des pics fermes. À basse vitesse, ajouter à la crème glacée et mélanger juste assez pour que le mélange soit homogène. Incorporer les pacanes. Répartir la moitié de cette préparation dans le plat. Verser la moitié du caramel en spirale. Étendre le reste de la préparation glacée délicatement. Verser enfin le reste du caramel en spirale. Passer un couteau à travers la préparation glacée pour créer l'effet marbré. Congeler 6 heures ou toute une nuit.
5 Au moment de servir, laisser tempérer 5 minutes. Démouler et couper en carrés ou trancher.

RECETTE P178

PETITS POTS DE CRÈME AU CHOCOLAT BLANC ET GELÉE AU FRUIT DE LA PASSION

Préparation 25 MINUTES ***Cuisson*** 15 MINUTES ***Portions*** 6

Pots de crème
5 ml (1 c. à thé) de gélatine
45 ml (3 c. à soupe) d'eau
225 g (8 oz) de chocolat blanc, haché finement
60 ml (1/4 tasse) de beurre non salé
3 œufs, légèrement battus
125 ml (1/2 tasse) de crème 35 %, chaude
60 ml (1/4 tasse) de lait, chaud

Gelée au fruit de la passion
5 ml (1 c. à thé) de gélatine
310 ml (1 1/4 tasse) de jus de fruit de la passion
15 ml (1 c. à soupe) de sucre

Garniture
125 ml (1/2 tasse) de fraises fraîches, coupées en brunoise
15 ml (1 c. à soupe) de sucre
1 ml (1/4 c. à thé) de poivre de Sechuan, concassé

1 POUR LES POTS DE CRÈME Dans un bol, saupoudrer la gélatine sur l'eau et laisser gonfler 5 minutes. Réserver.
2 Au bain-marie, fondre le chocolat et le beurre. Hors du feu, incorporer les œufs à l'aide d'un fouet. Ajouter la crème et le lait. Poursuivre la cuisson en remuant constamment à l'aide d'un fouet et en prenant soin de racler le fond du bol jusqu'à ce que la crème épaississe légèrement. Ajouter la gélatine et remuer jusqu'à ce qu'elle soit dissoute.
3 Répartir le mélange dans six coupes évasées ou dans des verres à martini. Réfrigérer environ 3 heures.
4 POUR LA GELÉE AU FRUIT DE LA PASSION Dans une petite casserole, saupoudrer la gélatine sur 125 ml (1/2 tasse) de jus et laisser gonfler environ 5 minutes. Ajouter le sucre et chauffer à feu doux en remuant jusqu'à ce que la gélatine et le sucre soient dissous. Ajouter le reste du jus et bien mélanger. Laisser tempérer.
5 Répartir sur la crème au chocolat en versant délicatement. Réfrigérer environ 3 heures.
6 POUR LA GARNITURE Au moment de servir, dans un bol, mélanger les fraises avec le sucre et le poivre de Sechuan. Laisser reposer environ 5 minutes. Répartir les fraises en dôme sur la gelée.

GÂTEAUX À LA BETTERAVE ET CRÈME AU MASCARPONE

Préparation 35 MINUTES ***Cuisson*** 35 MINUTES ***Portions*** 12

Gâteaux
250 ml (1 tasse) de betteraves pelées et râpées
125 ml (1/2 tasse) de beurre non salé
15 ml (1 c. à soupe) de jus de citron
250 ml (1 tasse) de farine tout usage non blanchie
5 ml (1 c. à thé) de poudre à pâte
1 ml (1/4 c. à thé) de sel
2 œufs
250 ml (1 tasse) de sucre
Le zeste râpé de 1 citron
5 ml (1 c. à thé) d'extrait de vanille
125 ml (1/2 tasse) d'amandes effilées

Sirop de betterave
125 ml (1/2 tasse) d'eau
125 ml (1/2 tasse) de miel
125 ml (1/2 tasse) de sucre
125 ml (1/2 tasse) de betteraves pelées et râpées

Crème au mascarpone
1 contenant de 250 g (1/2 lb) de fromage mascarpone
125 ml (1/2 tasse) de crème 35 %
30 ml (2 c. à soupe) de sucre
Le zeste râpé de 1 citron

1 POUR LES GÂTEAUX Placer la grille au centre du four. Préchauffer le four à 180 °C (350 °F). Beurrer et fariner 12 moules à muffins.

2 Dans une casserole, attendrir les betteraves dans le beurre et le jus de citron environ 5 minutes. Laisser tiédir et réfrigérer jusqu'à ce que le mélange soit tempéré.

3 Dans un bol, mélanger la farine, la poudre à pâte et le sel.

4 Dans un autre bol, fouetter les œufs avec le sucre, le zeste de citron et la vanille au batteur électrique environ 2 minutes. À basse vitesse, incorporer les ingrédients secs en alternant avec le mélange de betteraves.

5 Répartir la pâte dans les moules et garnir d'amandes. Cuire au four de 20 à 22 minutes ou jusqu'à ce qu'un cure-dent inséré au centre d'un gâteau en ressorte propre.

6 À l'aide de la pointe d'un couteau, démouler délicatement les gâteaux sans les renverser et les déposer sur une grille. Laisser refroidir complètement.

7 POUR LE SIROP DE BETTERAVE Dans une petite casserole, porter à ébullition tous les ingrédients en remuant. Laisser mijoter environ 10 minutes, jusqu'à ce que le jus soit légèrement sirupeux. Passer au tamis. Jeter les betteraves. Laisser tiédir et réfrigérer jusqu'à refroidissement complet.

8 POUR LA CRÈME AU MASCARPONE Dans un bol, fouetter tous les ingrédients au batteur électrique, jusqu'à l'obtention de pics fermes.

9 Étaler environ 45 ml (3 c. à soupe) de crème au mascarpone en disque au fond de chaque assiette. Y déposer un gâteau au centre. Arroser la crème et le gâteau d'un filet de sirop de betterave.

De tout temps, les retardataires ont causé du tort à l'humanité. C'est peut-être le plus grand mal qu'ait connu la planète, à part l'invention du manuel d'instruction mal traduit. Les retardataires empêchent les avions de décoller à l'heure, ils nous privent des nouveautés au club vidéo et nous couvrent de honte quand on est là, seul, à tenter de leur garder une place au resto. Et c'est sans compter les milliers de rôtis trop cuits, de poulets secs ou de champagne « *flat* ». Bien sûr, on peut se venger, en répondant à la porte en pyjama, brosse à dents au coin de la bouche, en disant: « Ah, vous avez décidé de venir quand même! » La jaquette de flannelette et les bigoudis sont un ajout spectaculaire et convaincant. Surtout si vous êtes un homme. On peut aussi prévoir le coup et préparer des soupes et des plats mijotés, qui pourront être servis à tout moment au cours de la soirée. J'ai des amis qui me croient incapable de faire autre chose que des mijotés! Quelle surprise ils auront le jour où ils seront à l'heure!

ILS SONT TOUJOURS
EN RETARD

mijotés et plats qui peuvent attendre

SAIGNANT
À POINT
BIEN CUIT
TRÈS CUIT
CARBONISÉ
POUBELLE

RECETTE P194

CRÈME DE BRIE

Préparation 15 MINUTES ***Cuisson*** 20 MINUTES ***Portions*** 4 À 6

3 échalotes françaises, hachées
30 ml (2 c. à soupe) de beurre
30 ml (2 c. à soupe) de farine
125 ml (1/2 tasse) de vin blanc
500 ml (2 tasses) de lait
250 ml (1 tasse) de bouillon de poulet
350 g (3/4 lb) de brie, sans la croûte, coupé en cubes
Sel et poivre

1 Dans une casserole, faire revenir les échalotes doucement dans le beurre, soit environ 10 minutes. Saupoudrer de farine et cuire environ 1 minute en remuant. Déglacer avec le vin et mélanger. Ajouter le lait et le bouillon. Porter à ébullition et laisser mijoter 5 minutes. Hors du feu, ajouter le fromage et laisser fondre, environ 1 minute.
2 Au mélangeur, réduire la soupe en purée lisse. Rectifier l'assaisonnement. Se réchauffe à feu doux.
3 Servir dans un petit bol et garnir de la duxelles de champignons.

DUXELLES DE CHAMPIGNONS

Préparation 10 MINUTES ***Cuisson*** 15 MINUTES ***Rendement*** 180 ML (3/4 TASSE)

227 g (8 oz) de champignons blancs, hachés finement
1 échalote française, hachée finement
30 ml (2 c. à soupe) de beurre
125 ml (1/2 tasse) de vin blanc
30 ml (2 c. à soupe) de ciboulette fraîche ciselée
Sel et poivre

1 Dans une poêle, dorer les champignons et l'échalote dans le beurre. Saler et poivrer. Déglacer avec le vin. Porter à ébullition et laisser réduire presque à sec. Ajouter la ciboulette.
2 Servir sur la crème de brie.

POTAGE CHOISY

Préparation 15 MINUTES *Cuisson* 25 MINUTES *Portions* 6

Cette soupe peut se faire avec des restes de laitue. Elle se mange chaude ou froide, indifféremment. Toute une différence pour le niveau de stress.

1 oignon, haché
30 ml (2 c. à soupe) de beurre
750 ml (3 tasses) de bouillon de poulet
750 ml (3 tasses) de pommes de terre, coupées en cubes
500 ml (2 tasses) de lait
1,5 litre (6 tasses) de laitue hachée grossièrement
Sel et poivre
75 ml (1/3 tasse) de crème sure
18 tomates cerises, coupées en quartiers

1 Dans une casserole, attendrir l'oignon dans le beurre. Ajouter le bouillon, les pommes de terre et le lait. Saler et poivrer. Porter à ébullition. Couvrir et laisser mijoter doucement environ 20 minutes, jusqu'à ce que les pommes de terre soient tendres.
2 Ajouter la laitue. Porter à ébullition et poursuivre la cuisson de 1 à 2 minutes. Au mélangeur, réduire en purée lisse. Rectifier l'assaisonnement. Servir chaud ou froid.
3 Au service, garnir de crème sure et de tomates cerises.

SOUPE AU CHOU ET AUX BETTERAVES

Préparation 20 MINUTES *Cuisson* 30 MINUTES *Portions* 4 À 6

1 oignon, émincé
30 ml (2 c. à soupe) d'huile d'olive
15 ml (1 c. à soupe) de cassonade
30 ml (2 c. à soupe) de vinaigre de vin blanc
1,5 litre (6 tasses) de bouillon de poulet
2 pommes de terre, pelées et coupées en dés
2 betteraves moyennes, pelées et coupées en julienne (500 ml / 2 tasses)
500 ml (2 tasses) de chou vert tranché finement
60 ml (1/4 tasse) de persil plat, ciselé
Sel et poivre

1 Dans une casserole, dorer l'oignon dans l'huile. Ajouter la cassonade et cuire une minute en remuant. Déglacer avec le vinaigre. Ajouter le reste des ingrédients à l'exception du persil. Saler et poivrer. Porter à ébullition. Couvrir et laisser mijoter environ 25 minutes ou jusqu'à ce que les légumes soient tendres. Ajouter le persil et rectifier l'assaisonnement.

Peut ATTENDRE
24H
frigo

POIREAU ET CÉLERI VINAIGRETTE

Préparation 15 MINUTES *Cuisson* 20 MINUTES *Portions* 6 ENTRÉES

Cette entrée se sert tiède et même froide. Alors, pas de problème si l'heure du service est retardée. En attendant l'arrivée des invités, laissez tout à la température ambiante, sauf la vinaigrette, qui va au réfrigérateur. Le moment venu, il ne vous restera qu'à dresser. Non, mais qu'est-ce qu'on ne ferait pas pour ceux qu'on aime ?

6 poireaux moyens ou petits
3 branches de céleri, coupées en deux tronçons
310 ml (1 1/4 tasse) de bouillon de poulet
1 branche de thym frais
1 feuille de laurier
1 clou de girofle
75 ml (1/3 tasse) de vinaigre de cidre
1 jaune d'œuf
7,5 ml (1 1/2 c. à thé) de moutarde de Dijon
75 ml (1/3 tasse) d'huile d'olive
Sel et poivre
1 pomme verte coupée en deux, épépinée et émincée finement en lamelles à la mandoline

1 Placer la grille au centre du four. Préchauffer le four à 180 °C (350 °F).
2 Retirer le feuillage vert foncé des poireaux. Couper la partie vert pâle et blanche des poireaux en deux tronçons.
3 Dans un plat de cuisson, étaler les poireaux et le céleri. Ajouter le bouillon, le thym, le laurier et le clou de girofle. Saler et poivrer. Couvrir d'une feuille de papier d'aluminium. Cuire au four environ 30 minutes. Retirer les poireaux, les céleris et laisser tiédir. Passer le bouillon au tamis.
4 Dans une casserole, verser 75 ml (1/3 tasse) de ce bouillon et le vinaigre. Laisser réduire jusqu'à ce qu'il reste 45 ml (3 c. à soupe) de liquide. Laisser tiédir.
5 Dans un bol, mélanger la réduction de vinaigre, le jaune d'œuf et la moutarde, à l'aide d'un fouet. Verser l'huile en filet en fouettant constamment. Saler et poivrer. Placer les légumes et les pommes dans des assiettes et arroser de vinaigrette.

RECETTE P201

CHOU FARCI AUX TROIS FROMAGES

Préparation 45 MINUTES *Cuisson* 1 H 45 *Attente* 15 MINUTES *Portions* 6 À 8

J'ai inventé cette recette pour les lendemains de veille, quand il faut recycler les restes de fromage. C'est original, et ce plat peut attendre dans un four à basse température.

10 feuilles de chou de Savoie
375 ml (1 1/2 tasse) de poireau émincé finement
30 ml (2 c. à soupe) de beurre, ramolli
60 ml (1/4 tasse) de vin blanc
115 g (1/4 lb) de fromage Riopelle ou autre brie triple crème, sans la croûte
115 g (1/4 lb) de fromage Oka, d'Iberville ou autre fromage à croûte lavée, sans la croûte et coupé en cubes
6 pommes de terre Russet, pelées et coupées en tranches de 3 mm (1/8 po) d'épaisseur à la mandoline
750 ml (3 tasses) de lait
1 branche de thym frais
1 gousse d'ail, pelée
La partie supérieure de 1 petite courge butternut, pelée et tranchée à la mandoline
115 g (1/4 lb) de fromage Valbert ou autre fromage à pâte ferme, sans la coûte et coupé en cubes
Sel et poivre

1 Dans une grande casserole d'eau bouillante salée, blanchir les feuilles de chou environ 4 minutes ou jusqu'à ce qu'elles soient tendres. Égoutter et rincer sous l'eau froide. Réserver.
2 Dans une poêle, attendrir le poireau dans le beurre. Ajouter le vin et laisser réduire presque à sec. Ajouter le brie et le fromage à croûte lavée. Remuer jusqu'à ce que le fromage soit fondu. Saler et poivrer. Réserver.
3 Dans la même casserole, placer les pommes de terre, le lait, le thym et l'ail. Saler et poivrer. Porter à ébullition et laisser mijoter à feu moyen environ 5 minutes ou jusqu'à ce que les pommes de terre soient *al dente*. Remuer à quelques reprises pour éviter que le lait ne colle. Retirer le thym et la gousse d'ail. Égoutter les pommes de terre et remettre le lait dans la casserole. Ajouter les courges et porter de nouveau à ébullition. Ajouter du lait au besoin. Laisser mijoter à feu moyen jusqu'à ce qu'elles soient *al dente*. Égoutter et réserver.
4 Placer la grille au centre du four. Préchauffer le four à 190 °C (375 °F). Tapisser le fond d'un moule à charnière de 23 cm (9 po) de papier parchemin.
5 Placer une grande feuille de chou au fond du moule. Tapisser les côtés du moule de six feuilles en les laissant dépasser. Placer une autre feuille au fond. Ajouter les deux tiers des pommes de terre. Saler et poivrer. Presser légèrement et y répartir le mélange de poireau et de fromage. Ajouter le reste des pommes de terre puis la courge. Terminer avec le fromage à pâte ferme et y placer une feuille de chou. Rabattre les feuilles vers le centre et terminer par une feuille de chou.
6 Badigeonner de beurre. Envelopper le moule dans deux feuilles de papier d'aluminium. Placer le moule sur une plaque à biscuits. Cuire au four environ 1 h 30. Retirer du four. Placer une assiette sur le dessus. Laisser reposer 15 minutes.
7 Démouler et servir accompagné d'une salade verte.

RECETTE P204

POULET AUX MORILLES

Préparation 30 MINUTES *Cuisson* 1 H 15 *Portions* 4

Servir du poulet à des retardataires est souvent risqué. La chair s'assèche, la saveur s'enfuit. Mais avec une volaille en sauce, il est plus facile de surveiller la cuisson. Si vous vous risquez avec un poulet entier, utilisez un thermomètre à viande. Quand la température atteint 82 °C (180 °F), le poulet est cuit. Si les amis sont en retard, arrêtez la cuisson une dizaine de degrés avant, puis relancez le four pour atteindre la cuisson parfaite. Un truc pour cuisinier averti.

375 ml (1 1/2 tasse) de bouillon de poulet
2 paquets de 15 g de morilles séchées
1 paquet de 15 g de chanterelles séchées
10 ml (2 c. à thé) de fécule de maïs
30 ml (2 c. à soupe) d'eau
1 poulet de 1,8 kg (4 lb), sans la peau et coupé en huit morceaux
30 ml (2 c. à soupe) de beurre
1 oignon, haché
2 gousses d'ail, hachées
60 ml (1/4 tasse) de whisky
125 ml (1/2 tasse) de crème 35 %
10 ml (2 c. à thé) de moutarde de Dijon
Sel et poivre

1 Dans une petite casserole, porter le bouillon à ébullition. Retirer du feu. Ajouter les morilles et les chanterelles. Laisser réhydrater environ 30 minutes. Réserver.
2 Dans un bol, délayer la fécule dans l'eau et l'ajouter au mélange de bouillon et de champignons. Réserver.
3 Dans une grande poêle ou une grande casserole, dorer le poulet dans le beurre. Saler et poivrer. Ajouter l'oignon, l'ail et poursuivre la cuisson environ 2 minutes. Déglacer avec le whisky. Ajouter le mélange de bouillon et de champignons, la crème et la moutarde. Porter à ébullition en remuant. Couvrir et laisser mijoter doucement environ 45 minutes. Retourner les morceaux de poulet et poursuivre la cuisson à découvert environ 15 minutes ou jusqu'à ce que le poulet soit cuit.
4 Servir avec des haricots verts et des pierogis si désiré (voir recette page suivante).

PIERogis

Préparation 40 MINUTES ***Attente*** 30 MINUTES ***Cuisson*** 15 MINUTES
Portions 4 (ENVIRON 20 PIEROGIS)

Les pierogis sont un peu les *dumplings* de l'Europe de l'Est. On farcit la pâte avec de la viande ou des pommes de terre et on les poche comme des raviolis, avant de les faire revenir à la poêle. Un accompagnement qu'un «petit délai» ne risque pas de faire bouger.

Pâte
500 ml (2 tasses) de farine tout usage non blanchie
2,5 ml (1/2 c. à thé) de sel
90 ml (6 c. à soupe) d'eau, environ
1 œuf
60 ml (1/4 tasse) d'huile d'olive

Farce
180 ml (3/4 tasse) de purée de pommes de terre sèche (sans lait)
180 ml (3/4 tasse) de fromage cottage rincé et égoutté
Sel et poivre

Garniture
2 grosses échalotes françaises, émincées
30 ml (2 c. à soupe) de beurre

1 POUR LA PÂTE Dans un grand bol, mélanger la farine avec le sel. Creuser un puits au centre et y verser l'eau, l'œuf et 30 ml (2 c. à soupe) d'huile. Mélanger à l'aide d'une fourchette ou avec les mains.
2 Déposer la pâte sur un plan de travail et pétrir jusqu'à ce qu'elle soit lisse. Former un disque avec les mains. Couvrir d'une pellicule de plastique et réfrigérer 30 minutes.
3 POUR LA FARCE Dans un bol, mélanger les pommes de terre et le fromage cottage. Saler et poivrer. Réserver.
4 Sur un plan de travail fariné, abaisser la pâte finement. À l'aide d'un emporte-pièce d'environ 7,5 cm (3 po) de diamètre, tailler des disques. Déposer environ 10 ml (2 c. à thé) de farce au centre de chaque disque. Badigeonner le pourtour d'eau et refermer en demi-lune en pressant le rebord pour bien sceller. Réserver sur une plaque farinée.
5 Dans une grande casserole, cuire les pierogis dans l'eau bouillante salée jusqu'à ce qu'ils remontent à la surface. Poursuivre la cuisson environ 4 minutes. Égoutter et huiler légèrement.
6 Dans une poêle, dorer les pierogis des deux côtés dans le reste de l'huile. Saler et poivrer. Réserver au chaud sur une assiette.
7 POUR LA GARNITURE Dans la même poêle, dorer les échalotes dans le beurre. Saler et poivrer. Déposer sur les pierogis.
8 Servir avec le poulet aux morilles (voir recette page précédente).

CRUS
FRITS

RECETTE P205

POIS SUCRÉS AU BEURRE

Préparation 5 MINUTES ***Cuisson*** 5 MINUTES ***Portions*** 6

225 g (1/2 lb) de pois sucrés ou de pois mange-tout, parés
30 ml (2 c. à soupe) de beurre
15 ml (1 c. à soupe) d'eau

1 Dans une casserole d'eau bouillante salée, blanchir les pois sucrés. Égoutter.
2 Dans une poêle, faire revenir les pois dans le beurre et l'eau environ 2 minutes. Saler et poivrer.

PORC AU LAIT DE 4 HEURES

Préparation 20 MINUTES *Cuisson* 4 HEURES *Portions* 6

1 rôti de porc dans l'épaule de 1,5 kg (3 lb) désossé
30 ml (2 c. à soupe) de beurre
1 litre (4 tasses) de lait
2 oignons, pelés
1 blanc de poireau
4 gousses d'ail, pelées
1 ml (1/4 c. à thé) de muscade moulue
Sel et poivre

1 Placer la grille au centre du four. Préchauffer le four à 180 °C (350 °F).
2 Dans une grande casserole allant au four, dorer le porc dans le beurre. Saler et poivrer. Ajouter le lait. Porter à ébullition. Ajouter les légumes et la muscade. Couvrir et cuire au four 2 h 30. Si le lait semble tourner en début de cuisson, ne pas s'inquiéter. Le liquide sera passé au tamis.
3 Découvrir et poursuivre la cuisson environ 1 h 30 ou jusqu'à ce que la sauce ait réduit d'un peu plus de la moitié. Retourner le porc toutes les 20 minutes.
4 Retirer le rôti de la casserole. Réserver. Passer le liquide au tamis. Fouetter la sauce et rectifier l'assaisonnement.
5 Servir le rôti dans une grande assiette de présentation et déposer les pois sucrés (voir recette page précédente) tout autour. Trancher le rôti et l'accompagner de la purée de patates douces (voir recette ci-dessous).

PURÉE DE PATATES DOUCES

Préparation 10 MINUTES *Cuisson* 1 H 30 *Portions* 6

1 kg (2 lb) de patates douces
60 ml (1/4 tasse) de beurre
60 ml (1/4 tasse) de bouillon de poulet
Sel et poivre

1 Placer la grille au centre du four. Préchauffer le four à 180 °C (350 °F)
2 Envelopper les patates dans du papier d'aluminium. Cuire au four environ 1 h 30 ou jusqu'à ce qu'elles soient tendres. Peler les patates. Au robot, les réduire en purée avec le reste des ingrédients. Saler et poivrer.
3 CUISSON RAPIDE AU MICRO-ONDES Piquer les patates à l'aide d'une fourchette. Cuire au four à micro-ondes à puissance maximale environ 8 minutes. Les retourner et poursuivre la cuisson environ 8 minutes selon la grosseur, jusqu'à ce qu'elles soient tendres. Laisser tiédir.

JARRETS D'AGNEAU GLACÉS AU MIEL DE SARRASIN

Préparation 20 MINUTES *Cuisson* 2 H 45 *Portions* 6

6 jarrets d'agneau d'environ 350 g (3/4 lb) chacun
30 ml (2 c. à soupe) d'huile d'olive
30 ml (2 c. à soupe) de beurre
60 ml (1/4 tasse) de vinaigre de xérès ou de vinaigre de vin rouge
30 ml (2 c. à soupe) de brandy
500 ml (2 tasses) de bouillon de poulet
125 ml (1/2 tasse) de miel de sarrasin
1 orange, tranchée
1 oignon, pelé et coupé en deux
2 gousses d'ail, pelées et coupées en deux
6 carottes, coupées en tranches de 2,5 cm (1 po) en diagonale
4 branches de céleri, coupées en tranches de 2,5 cm (1 po) en diagonale
4 panais, coupés en tranches de 2,5 cm (1 po) en diagonale
2 branches de persil
Sel et poivre

1 Placer la grille au centre du four. Préchauffer le four à 180 °C (350 °F).
2 Dans une grande poêle, dorer les jarrets dans l'huile et le beurre. Saler et poivrer. Réserver sur une assiette.
3 Déglacer la poêle avec le vinaigre et le brandy. Laisser réduire de moitié.
4 Ajouter le bouillon, le miel et porter à ébullition. Saler et poivrer. Remettre les jarrets dans la poêle. Ajouter l'orange, l'oignon et l'ail. Cuire au four 1 heure en arrosant la viande fréquemment. Ajouter le reste des légumes tout autour des jarrets en les pressant dans le bouillon. Poursuivre la cuisson environ 45 minutes ou jusqu'à ce que la viande soit bien caramélisée. Couvrir et poursuivre la cuisson de 30 à 45 minutes ou jusqu'à ce que la viande se détache bien de l'os et que les légumes soient tendres.
5 Délicieux avec une purée de pommes de terre.

CASSEROLE DE CABILLAUD (MORUE) À LA PORTUGAISE

Préparation 25 MINUTES *Cuisson* 1 H 15 *Portions* 6

Morue ou cabillaud ? On parle ici du même poisson. Lorsqu'il est salé et séché, on devrait l'appeler morue, alors qu'à l'état frais, il porte le nom de cabillaud.

2 oignons, tranchés finement
30 ml (2 c. à soupe) d'huile d'olive
2 gousses d'ail, hachées finement
1 litre (4 tasses) de pommes de terre, pelées et tranchées finement à la mandoline
3 tomates italiennes, tranchées
60 ml (1/4 tasse) d'olives noires dans l'huile, égouttées et dénoyautées, hachées finement
1 kg (2 lb) de filets de cabillaud (morue fraîche)
250 ml (1 tasse) de bouillon de poulet
Sel et poivre

1 Si, comme les Portugais, vous utilisez un plat en terre cuite d'une contenance de 3 litres (12 tasses), le faire tremper dans l'eau avec son couvercle environ 15 minutes. Si vous utilisez un autre type de plat, placer la grille au centre du four et préchauffer le four à 200 °C (400 °F).
2 Dans une poêle, dorer les oignons dans l'huile jusqu'à ce qu'ils soient bien caramélisés. Saler et poivrer. Ajouter l'ail et poursuivre la cuisson 1 minute. Réserver.
3 Étaler un quart des pommes de terre au fond du plat. Y répartir la moitié des tomates et des olives. Saler et poivrer. Couvrir d'un autre quart de pommes de terre. Parsemer du mélange d'oignons. Ajouter un troisième quart de pommes de terre, puis y étendre le poisson. Saler et poivrer. Recouvrir du reste de pommes de terre, de tomates et d'olives. Ajouter le bouillon.
4 Couvrir et déposer le plat en terre cuite au centre du four non préchauffé (important). Régler la température du four à 200 °C (400 °F). Cuire au four environ 1 h 15 (environ 1 heure pour un plat en céramique ou en verre) ou jusqu'à ce que les pommes de terre soient tendres. Laisser reposer 15 minutes et servir.

PROFITEROLES

Préparation 35 MINUTES ***Cuisson*** 1 HEURE ***Attente*** 20 MINUTES ***Rendement*** 16

Les petits choux se font à l'avance et se conservent au congélateur. Pour qu'ils soient bien croustillants, on les réchauffe au four réglé à 150 °C (300 °F) pendant quelques minutes. Puis on les laisse refroidir avant de les dresser. Aucun problème si la soirée se prolonge.

Pâte à choux
125 ml (1/2 tasse) de lait
125 ml (1/2 tasse) d'eau
60 ml (1/4 tasse) de beurre non salé
5 ml (1 c. à thé) de sucre
1 ml (1/4 c. à thé) de sel
250 ml (1 tasse) de farine tout usage non blanchie
4 œufs

Sauce au chocolat
125 ml (1/2 tasse) de crème 35 %
85 g (3 oz) de chocolat mi-sucré, haché

Crème glacée à la vanille, aux pacanes ou au caramel au goût

1 POUR LA PÂTE À CHOUX Placer la grille au centre du four. Préchauffer le four à 190 °C (375 °F). Tapisser une plaque de cuisson de papier parchemin.
2 Dans une casserole, porter à ébullition le lait, l'eau, le beurre, le sucre et le sel. Retirer la casserole du feu et ajouter la farine d'un seul coup. Brasser vigoureusement à la cuillère de bois jusqu'à ce que la pâte forme une boule lisse qui se détache des parois.
3 Remettre la casserole sur un feu doux et cuire en remuant la pâte pendant environ 2 minutes.
4 Retirer du feu et laisser tiédir quelques minutes. Ajouter les œufs, un à la fois, en battant énergiquement à la cuillère de bois ou au batteur électrique entre chaque addition, jusqu'à ce que la pâte soit lisse et homogène.
5 À l'aide d'une poche à pâtisserie munie d'une douille ronde d'environ 1 cm (1/2 po) et remplie de pâte à choux, former sur la plaque 16 choux de la grosseur d'une balle de golf. Aplanir les pointes du bout d'un doigt mouillé.
6 Cuire au centre du four jusqu'à ce que la pâte soit dorée, soit environ 40 minutes. Éteindre le four et laisser sécher environ 15 minutes avec la porte entrouverte. Laisser refroidir complètement sur une grille.
7 POUR LA SAUCE AU CHOCOLAT Dans une casserole, porter la crème à ébullition. Retirer du feu et ajouter le chocolat. Laisser reposer 2 minutes. Mélanger à l'aide d'un fouet jusqu'à ce que ce soit homogène. Réserver au chaud.
8 Couper la calotte des choux refroidis. Garnir d'une boule de crème glacée. Refermer. Couvrir de sauce au chocolat chaude.

GÂTEAU AUX CAROTTES ET AU CHOCOLAT

Préparation 25 MINUTES *Cuisson* 1 HEURE *Attente* 2 HEURES *Portions* 10 À 12

Gâteau aux carottes
375 ml (1 1/2 tasse) de farine tout usage non blanchie
7,5 ml (1 1/2 c. à thé) de poudre à pâte
2,5 ml (1/2 c. à thé) de cannelle moulue
1 ml (1/4 c. à thé) de sel
4 œufs
375 ml (1 1/2 tasse) de sucre
5 ml (1 c. à thé) d'extrait de vanille
180 ml (3/4 tasse) de beurre non salé, fondu et tempéré
500 ml (2 tasses) de carottes râpées
110 g (4 oz) de chocolat mi-sucré, haché grossièrement

Ganache au chocolat blanc
335 g (12 oz) de chocolat blanc, haché
125 ml (1/2 tasse) de crème sure

Carottes confites
125 ml (1/2 tasse) de jus d'orange
125 ml (1/2 tasse) de sucre
2 petites carottes, tranchées finement sur la longueur à la mandoline (12 tranches)

1 POUR LE GÂTEAU AUX CAROTTES Placer la grille au centre du four. Préchauffer le four à 180 °C (350 °F). Beurrer deux moules à charnière de 20 cm (8 po) de diamètre. Tapisser le fond de papier parchemin.

2 Dans un bol, mélanger la farine, la poudre à pâte, la cannelle et le sel. Réserver.

3 Dans un autre bol, fouetter les œufs, le sucre et la vanille au batteur électrique environ 10 minutes ou jusqu'à ce que le mélange blanchisse et double de volume. Incorporer le beurre fondu délicatement à la spatule. Incorporer les ingrédients secs en pliant délicatement à l'aide d'un fouet. Ajouter les carottes et le chocolat.

4 Répartir la pâte dans les moules. Cuire au four environ 45 minutes ou jusqu'à ce qu'un cure-dent inséré au centre du gâteau en ressorte propre. Passer une fine lame autour du gâteau pour le détacher du moule. Démouler et laisser refroidir sur une grille.

5 POUR LA GANACHE AU CHOCOLAT BLANC Au bain-marie, fondre le chocolat. Hors feu, ajouter la crème sure et mélanger jusqu'à ce que ce soit homogène. Laisser refroidir environ 2 heures ou jusqu'à ce que le gâteau soit complètement refroidi.

6 Fouetter le mélange de chocolat environ 2 minutes au batteur électrique, jusqu'à ce qu'il commence à raffermir légèrement. Au besoin, placer au réfrigérateur quelques minutes. Répartir la ganache sur le dessus des deux gâteaux. Superposer les deux gâteaux.

7 POUR LES CAROTTES CONFITES Dans une casserole, porter à ébullition le jus d'orange et le sucre. Ajouter les carottes. Laisser mijoter environ 8 minutes selon l'épaisseur ou jusqu'à ce que les carottes soient tendres et translucides. Laisser refroidir complètement dans le sirop. Égoutter et placer une tranche de carotte roulée pour marquer chaque pointe.

TIRAMISU SANS MASCARPONE

Préparation 25 MINUTES ***Réfrigération*** 2 HEURES ***Portions*** 8

250 ml (1 tasse) d'espresso ou de café fort, chaud
180 ml (3/4 tasse) de sucre
475 g (16 oz) de fromage ricotta
125 ml (1/2 tasse) de fromage à la crème, tempéré
30 ml (2 c. à soupe) de liqueur de café ou de cacao
3 blancs d'œufs
12 à 14 biscuits à la cuiller (doigts de dame)
15 ml (1 c. à soupe) de cacao

1 Dans un bol, mélanger le café et 30 ml (2 c. à soupe) de sucre. Réserver au froid.
2 Au robot, mélanger les deux fromages et la liqueur jusqu'à ce que le mélange soit très lisse. Réserver.
3 Dans un bol, fouetter les blancs d'œufs au batteur électrique jusqu'à la formation de pics mous. Ajouter graduellement le reste du sucre en fouettant jusqu'à l'obtention de pics fermes. À l'aide d'une spatule, incorporer la meringue au mélange de fromages en pliant.
4 Tremper les biscuits dans le café pour les imbiber rapidement. Déposer la moitié des biscuits au fond d'un bol de service en verre d'environ 3 litres (12 tasses). Couvrir de la moitié de la garniture au fromage et poursuivre avec le reste des biscuits et de la garniture. Saupoudrer le cacao sur le dessus à l'aide d'un tamis. Réfrigérer au moins 2 heures avant de servir.

FLAN PORTUGAIS AU CARAMEL

Préparation 20 MINUTES ***Cuisson*** 1 H 15 ***Réfrigération*** 3 HEURES ***Portions*** 10

Caramel
125 ml (1/2 tasse) de sucre
30 ml (2 c. à soupe) d'eau

Flan
180 ml (3/4 tasse) de sucre
30 ml (2 c. à soupe) d'eau
500 ml (2 tasses) de crème 35 %, chaude
310 ml (1 1/4 tasse) de lait, chaud
6 œufs
2 jaunes d'œufs

1 Placer la grille au centre du four. Préchauffer le four à 150 °C (300 °F).
2 POUR LE CARAMEL Dans une casserole, porter à ébullition le sucre et l'eau. Cuire sans remuer jusqu'à ce que le mélange prenne une couleur dorée. Retirer immédiatement du feu. À l'aide d'un pinceau en silicone, couvrir l'intérieur d'un moule à gâteau de type Bundt d'environ 8 cm (3 1/2 po) de hauteur ou d'une contenance de 1,5 litre (6 tasses). Pour cette étape, procéder rapidement pour éviter que le caramel durcisse.
3 POUR LE FLAN Dans une casserole, porter à ébullition 125 ml (1/2 tasse) de sucre et l'eau. Cuire sans remuer jusqu'à ce que le mélange prenne une couleur dorée. Hors du feu, ajouter graduellement la crème. Attention aux éclaboussures. Porter de nouveau à ébullition en remuant jusqu'à ce que le mélange soit homogène. Ajouter le lait et bien mélanger. Réserver.
4 Dans un bol, mélanger les œufs et les jaunes avec le reste du sucre à l'aide d'un fouet. Incorporer le mélange de lait chaud en fouettant. Passer au tamis. Verser dans le moule. Préparer un bain-marie, c'est-à-dire mettre un linge dans un grand plat de cuisson, y déposer le moule et remplir le plat d'eau fumante jusqu'à la mi-hauteur. Cuire au four de 1 heure à 1 h 15 ou jusqu'à ce que le flan soit tremblotant. Retirer le moule du bain-marie. Laisser tiédir. Réfrigérer environ 3 heures ou jusqu'à refroidissement complet. Tremper le moule quelques secondes dans un bain d'eau bouillante, puis renverser sur un plat de service.

TRIFLE AUX POIRES ET AU CARAMEL

Préparation 35 MINUTES *Cuisson* 20 MINUTES *Réfrigération* 4 HEURES
Portions 8 À 10

Encore meilleur le lendemain. Le dessert parfait s'il faut attendre.

Crème pâtissière
250 ml (1 tasse) de lait
125 ml (1/2 tasse) de crème 35 %
60 ml (1/4 tasse) de sucre
45 ml (3 c. à soupe) de farine
6 jaunes d'œufs
5 ml (1 c. à thé) d'extrait de vanille

Poires caramélisées
30 ml (2 c. à soupe) d'eau
60 ml (1/4 tasse) de sucre
4 poires pelées, coupées en deux, évidées et coupées en lamelles

Sauce au caramel
60 ml (1/4 tasse) d'eau
250 ml (1 tasse) de sucre
30 ml (2 c. à soupe) de sirop de maïs
150 ml (2/3 tasse) de crème 35 %, chaude

Pour le montage
375 ml (1 1/2 tasse) de crème 35 %
60 ml (1/4 tasse) de sucre
5 ml (1 c. à thé) d'extrait de vanille
12 biscuits à la cuiller (doigts de dame), cassés en quatre
60 ml (1/4 tasse) d'amandes effilées, grillées et concassées

1 POUR LA CRÈME PÂTISSIÈRE Au micro-ondes, chauffer le lait et la crème. Réserver.
2 Dans une casserole, mélanger le sucre et la farine. Ajouter les jaunes d'œufs et fouetter jusqu'à ce que le mélange soit lisse et homogène. Ajouter peu à peu le mélange de crème chaude en fouettant.
3 Porter à ébullition à feu moyen en fouettant. Retirer du feu dès la première ébullition. Ajouter la vanille.
4 Déposer une pellicule de plastique directement sur la surface de la crème pâtissière chaude. Laisser tiédir et réfrigérer environ 2 heures ou jusqu'à refroidissement complet.
5 POUR LES POIRES CARAMÉLISÉES Dans une grande poêle, chauffer l'eau et le sucre jusqu'à ce qu'il prenne une couleur dorée. À feu vif, faire revenir les poires de 4 à 5 minutes. Réserver sur une assiette. Laisser tiédir et réfrigérer jusqu'à refroidissement complet.
6 POUR LA SAUCE AU CARAMEL Dans une casserole, porter à ébullition l'eau, le sucre et le sirop. Cuire sans remuer jusqu'à ce que le mélange prenne une couleur dorée. Hors du feu, ajouter graduellement la crème. Porter de nouveau à ébullition en remuant jusqu'à ce que le mélange soit homogène. Réserver dans un bol et laisser refroidir complètement.
7 POUR LE MONTAGE Dans un bol, fouetter la crème, le sucre et la vanille jusqu'à l'obtention de pics fermes.
8 Dans un bol de service en verre d'environ 3 litres (12 tasses), monter le trifle en alternant avec la moitié de chacun des éléments (à l'exception du caramel qui sera divisé en quatre) : crème pâtissière, biscuits, poires, caramel et crème fouettée. Répéter avec le reste, terminer avec la crème fouettée, un quart du caramel puis les amandes. Utiliser le reste du caramel pour le service.
9 Réfrigérer au moins 2 heures.

GÂTEAU « CHIFFON » À LA CASSONADE ET SALADE DE MANGUES À LA VANILLE

Préparation 20 MINUTES *Cuisson* 1 HEURE *Refroidissement* 3 HEURES
Portions 10

Parce qu'on le prépare avec de l'huile plutôt qu'avec du beurre, ce gâteau incroyablement moelleux se conserve presque une semaine sous la cloche à gâteau sans sécher.

Gâteau chiffon
310 ml (1 1/4 tasse) de farine tout usage non blanchie
5 ml (1 c. à thé) de poudre à pâte
1 ml (1/4 c. à thé) de sel
6 œufs, séparés
1 ml (1/4 c. à thé) de crème de tartre
430 ml (1 3/4 tasse) de cassonade
125 ml (1/2 tasse) d'huile végétale (canola, maïs)
125 ml (1/2 tasse) d'eau
5 ml (1 c. à thé) d'extrait de vanille

Salade de mangues à la vanille
1 gousse de vanille
125 ml (1/2 tasse) d'eau
180 ml (3/4 tasse) de sucre
4 mangues, pelées et coupées en lamelles
375 ml (1 1/2 tasse) de crème 35 %

1 POUR LE GÂTEAU CHIFFON Placer la grille au centre du four. Préchauffer le four à 170 °C (325 °F).
2 Dans un bol, mélanger la farine, la poudre à pâte et le sel.
3 Dans un autre bol, fouetter les blancs d'œufs et la crème de tartre jusqu'à la formation de pics mous. Ajouter la moitié de la cassonade graduellement et fouetter jusqu'à ce que la meringue forme des pics fermes. Réserver.
4 Dans un autre bol, mélanger le reste de la cassonade, les jaunes d'œufs, l'huile, l'eau et la vanille, à l'aide d'un fouet. Ajouter les ingrédients secs et mélanger délicatement.
5 À la spatule, incorporer le quart de la meringue dans la pâte. Ajouter le reste et mélanger en pliant délicatement. Verser dans un moule à cheminée non antiadhésif de 25 cm (10 po) et non beurré. Cuire au four de 55 minutes à 1 heure ou jusqu'à ce qu'un cure-dent inséré au centre du gâteau en ressorte propre. Renverser le moule immédiatement et laisser refroidir ainsi renversé pendant 3 heures. Démouler.
6 POUR LA SALADE DE MANGUES À LA VANILLE Avec la pointe d'un couteau, fendre la gousse de vanille en deux sur la longueur pour l'ouvrir. Retirer les graines.
7 Dans une casserole, porter à ébullition l'eau, 125 ml (1/2 tasse) du sucre, les graines et la gousse de vanille. Ajouter les mangues. Retirer la casserole du feu et laisser refroidir. Égoutter et réserver le sirop pour faire une salade de fruits.
8 Dans un bol, fouetter la crème et le reste du sucre jusqu'à l'obtention de pics fermes. Réserver au froid.
9 Servir une tranche de gâteau avec la crème fouettée et un peu de salade de mangues.

Pour les gars, tout est un sport. Le meilleur score au golf, la plus grosse télé, le saut qui éclabousse le plus dans la piscine, tout est une occasion de se surpasser. La même philosophie s'étend à l'assiette. Car un repas de gars, un vrai, est à l'image d'une grande finale, d'un exploit sportif transposé à l'échelle alimentaire. Un repas de gars est comme un match de séries: robuste. Plus question de la finesse des petits légumes. Tel un joueur de football, le repas de gars est généreux côté viande et ne se manipule pas avec le bout des doigts. Et comme un match de demi-finale joué sous la pluie, il va obligatoirement laisser des traces sur l'uniforme. Ça parade, ça fout un peu le bordel en ville, après l'avoir joyeusement foutu dans toute la cuisine. Et en cuisine comme ailleurs, les hommes et les femmes habitent deux planètes. Les gars sont plus créatifs, moins cartésiens. Sûrement par paresse, sans doute par envie de liberté, nous présumons de ce qu'il faut faire et nous nous lançons tête baissée dans l'action. Il y a parfois de la casse, mais nous sommes les champions de la récupération. Un ingrédient manque? Les filles courent l'acheter. Elles mesurent tout au millilitre près. Nous, on assure. N'est-ce pas ce qui fait notre charme?

LES gars
NE
LISENT
PAS
LES RECETTES

pour l'avant-match ou la partie de poker

ROB ROY

Préparation 3 MINUTES ***Portion*** 1

45 ml (3 c. à soupe) de scotch
20 ml (4 c. à thé) de vermouth rouge
Glaçons
1 long zeste de citron

1 Dans un shaker, mélanger le scotch et le vermouth avec quelques glaçons. Servir dans un verre à whisky avec le zeste de citron.

ARANCINIS À LA SAUCISSE

Préparation 30 MINUTES ***Cuisson*** 45 MINUTES ***Réfrigération*** 2 HEURES
Rendement 50 AMUSE-BOUCHE

On peut confectionner et frire ces boulettes de risotto à l'avance, les réfrigérer ou les congeler, puis les réchauffer au four au moment de servir.

Risotto
1 oignon, haché
30 ml (2 c. à soupe) d'huile d'olive
180 ml (3/4 tasse) de riz arborio
60 ml (1/4 tasse) de vin blanc
750 ml (3 tasses) de bouillon de poulet, chaud
125 ml (1/2 tasse) de *parmigiano reggiano* râpé
60 ml (1/4 tasse) de basilic frais ciselé
2 saucisses italiennes piquantes (225 g / 1/2 lb), la chair seulement
Sel et poivre

Sauce tomate
1 oignon, haché
1 gousse d'ail, hachée
30 ml (2 c. à soupe) d'huile d'olive
1 boîte de 540 ml (19 oz) de tomates italiennes broyées

Enrobage
125 ml (1/2 tasse) de farine tout usage non blanchie
4 œufs, légèrement battus
500 ml (2 tasses) de chapelure tamisée

1 POUR LE RISOTTO Dans une casserole, attendrir l'oignon dans l'huile. Ajouter le riz et cuire 1 minute en remuant pour bien l'enrober d'huile. Déglacer avec le vin et poursuivre la cuisson à feu moyen en remuant fréquemment jusqu'à ce que le liquide soit complètement absorbé.
2 Ajouter le bouillon environ 250 ml (1 tasse) à la fois, en remuant fréquemment jusqu'à ce que le liquide soit complètement absorbé entre chaque ajout.
3 Après environ 30 minutes, le riz devrait être tendre. Ajouter le parmesan, le basilic et remuer jusqu'à ce que le fromage soit fondu.
4 Entre-temps, dans une poêle, faire revenir les saucisses en les défaisant jusqu'à ce qu'elles soient dorées. Transférer dans le risotto et mélanger. Rectifier l'assaisonnement.
5 Étaler le risotto sur une plaque à biscuits et couvrir d'une pellicule de plastique. Réfrigérer environ 2 heures ou jusqu'à refroidissement complet.
6 POUR LA SAUCE TOMATE Dans une casserole, attendrir l'oignon et l'ail dans l'huile. Saler et poivrer. Ajouter les tomates. Porter à ébullition et laisser mijoter environ 15 minutes. Rectifier l'assaisonnement.
7 Chauffer l'huile de la friteuse à 190 °C (375 °F). Tapisser une plaque de cuisson de papier absorbant.
8 POUR L'ENROBAGE Placer la farine dans une assiette creuse, les œufs dans une seconde assiette et la chapelure dans une troisième.
9 À l'aide d'une cuillère, prélever environ 15 ml (1 c. à soupe) de risotto pour chaque arancini et les façonner en boule entre les mains. Les fariner et les tremper dans le mélange d'œufs, bien égoutter, puis les enrober du mélange de chapelure.
10 Passer la chapelure au tamis et tremper de nouveau les boules dans l'œuf puis dans la chapelure.
11 Frire dans l'huile environ huit boules à la fois, jusqu'à ce qu'elles soient bien dorées, soit environ 2 minutes. Égoutter sur la plaque.
12 Déposer sur un plat de service et accompagner de la sauce tomate.

RECETTE P234

AILES DE POULET GÉNÉRAL TAO

Préparation 30 MINUTES ***Cuisson*** 1 HEURE ***Portions*** 4

Ailes de poulet
24 ailes de poulet
45 ml (3 c. à soupe) d'huile d'arachide ou d'olive
Sel

Sauce
10 ml (2 c. à thé) de fécule de maïs
45 ml (3 c. à soupe) de sauce soya
45 ml (3 c. à soupe) de vinaigre de riz
45 ml (3 c. à soupe) d'eau
10 ml (2 c. à thé) d'huile de sésame grillé
30 ml (2 c. à soupe) de gingembre frais haché finement
3 gousses d'ail, hachées finement
5 ml (1 c. à thé) de sambal oelek
2,5 ml (1/2 c. à thé) de paprika
45 ml (3 c. à soupe) d'eau
125 ml (1/2 tasse) de sucre
1 oignon vert, émincé finement (facultatif)

1 POUR LES AILES DE POULET Placer la grille au centre du four. Préchauffer le four à 190 °C (375 °F). Tapisser une plaque de cuisson de 43 X 30 cm (17 X 12 po) de papier d'aluminium.
2 Couper les ailes de poulet à la jointure de façon à obtenir trois morceaux. Jeter le petit bout et ne conserver que les deux autres morceaux.
3 Dans un bol, mélanger le poulet et l'huile. Saler. Placer les ailes sur la plaque, sans qu'elles se touchent. Cuire au four environ 20 minutes de chaque côté, jusqu'à ce que la chair se détache bien de l'os. Terminer la cuisson sous le gril (*broil*) jusqu'à ce que les ailes soient bien dorées et croustillantes.
4 POUR LA SAUCE Entre-temps, dans un bol, fouetter la fécule, la sauce soya, le vinaigre de riz, l'eau, l'huile de sésame, le gingembre, l'ail, le sambal oelek et le paprika. Réserver.
5 Dans une grande casserole, porter l'eau et le sucre à ébullition. Cuire sans remuer jusqu'à ce que le mélange prenne une couleur dorée. Ajouter le mélange de sauce soya. Laisser mijoter jusqu'à ce que le caramel soit complètement dissous et que la sauce soit sirupeuse.
6 Dans une grande poêle antiadhésive, faire revenir à feu vif la sauce et les ailes de poulet jusqu'à ce que la sauce enrobe et laque bien le poulet. Parsemer d'oignon vert.
7 Au service, ne pas empiler les ailes pour éviter qu'elles ne deviennent trop molles.

CÔTES LEVÉES À LA BIÈRE

Préparation 20 MINUTES ***Attente*** 8 HEURES OU MOINS ***Cuisson*** 2 HEURES
Portions 4 OU 8

Des légumes ? Bof, pas ce soir. Le reste du temps, nos femmes se chargent amplement de nous en faire avaler.

3,6 kg (8 lb) de côtes levées de dos de porc

Sauce
250 ml (1 tasse) de sauce chili
180 ml (3/4 tasse) de cassonade
250 ml (1 tasse) de pâte de tomates
500 ml (2 tasses) de bière blonde ou blanche
6 gousses d'ail, hachées
20 ml (4 c. à thé) de moutarde de Dijon
20 ml (4 c. à thé) de sauce Worcestershire
10 ml (2 c. à thé) de gingembre moulu
5 ml (1 c. à thé) de poivre de Cayenne (facultatif)
5 ml (1 c. à thé) de sel

1 Couper la viande entre les côtes pour obtenir trois os par morceau.
2 Dans une grande casserole, couvrir les côtes levées d'eau légèrement salée. Porter à ébullition et écumer. Couvrir et laisser mijoter doucement 45 minutes. Égoutter. Réserver.
3 POUR LA SAUCE Dans une casserole, porter à ébullition tous les ingrédients, à feu moyen, en remuant. Laisser mijoter 7 à 8 minutes.
4 Dans un grand plat, mélanger les côtes levées avec la sauce. Si vous avez du temps, faire macérer au réfrigérateur quelques heures.
5 Placer la grille au centre du four. Préchauffer le four à 190 °C (375 °F). Tapisser deux plaques de cuisson de papier d'aluminium.
6 Étaler les côtes sur les plaques. Couvrir de papier d'aluminium et cuire au four 40 minutes. Retirer le papier d'aluminium et poursuivre la cuisson 30 minutes ou jusqu'à ce que la viande se détache aisément de l'os.

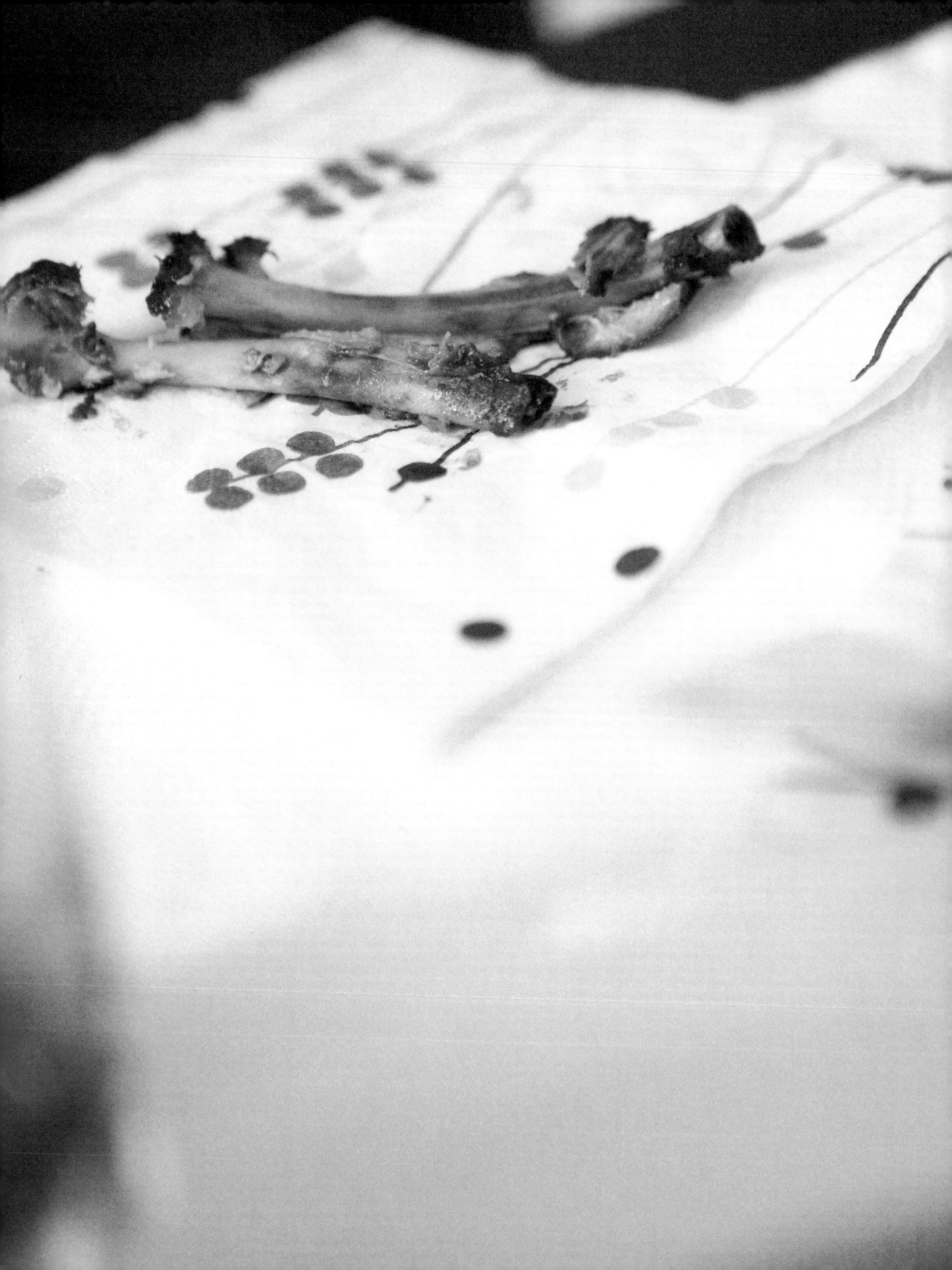

RECETTE P235

COQUES À LA BIÈRE ET AU CHORIZO

Préparation 10 MINUTES ***Cuisson*** 20 MINUTES ***Portions*** 4 ENTRÉES

2 gousses d'ail, pelées et coupées en deux
45 ml (3 c. à soupe) d'huile d'olive
1 oignon, émincé
115 g (1/4 lb) de chorizo, coupé en rondelles
2 tomates italiennes, broyées
4 branches de thym frais
1/2 bouteille de bière de 341 ml
1 kg (2 lb) de coques ou de petites palourdes, brossées
Sel et poivre

1 Dans une casserole, dorer l'ail dans l'huile. Ajouter l'oignon et le chorizo. Dorer à feu moyen. Ajouter les tomates et le thym. Laisser mijoter environ 2 minutes.

2 Ajouter la bière et les coques. Couvrir et porter à ébullition. Mélanger et laisser mijoter environ 5 minutes ou jusqu'à ce que les coques soient toutes ouvertes. Jeter les coques fermées. Rectifier l'assaisonnement.

RECETTE P243

TARTE TATIN À L'OIGNON

Préparation 20 MINUTES ***Réfrigération*** 30 MINUTES ***Cuisson*** 45 MINUTES
Portions 4 À 6 ENTRÉES

Croûte
250 ml (1 tasse) de farine tout usage non blanchie
Une pincée de sel
60 ml (1/4 tasse) de beurre non salé froid, coupé en cubes
1 œuf
15 ml (1 c. à soupe) d'eau glacée, environ

Garniture
1,5 litre (6 tasses) d'oignons émincés finement (environ 5 oignons)
30 ml (2 c. à soupe) de beurre
30 ml (2 c. à soupe) de vinaigre balsamique
180 ml (3/4 tasse) de *parmigiano reggiano* râpé
Sel et poivre

1 POUR LA CROÛTE Dans le bol du robot culinaire, placer la farine et le sel. Mélanger quelques secondes. Ajouter le beurre et mélanger quelques secondes à la fois jusqu'à ce qu'il ait la grosseur de petits pois. Ajouter l'œuf et l'eau. Mélanger de nouveau jusqu'à ce que la pâte commence tout juste à se former. Ajouter de l'eau au besoin. Retirer la pâte du robot et former un disque. Emballer la pâte dans une pellicule de plastique et réfrigérer 30 minutes.
2 Placer la grille au centre du four. Préchauffer le four à 200 °C (400 °F).
3 POUR LA GARNITURE Dans une poêle antiadhésive d'environ 25 cm (10 po) allant au four, faire revenir les oignons dans le beurre jusqu'à ce qu'ils soient dorés, soit environ 15 minutes. Saler et poivrer. Déglacer avec le vinaigre et poursuivre la cuisson 1 minute. Retirer du feu et laisser tiédir le temps d'abaisser la pâte. Ajouter le fromage. Rectifier l'assaisonnement.
4 POUR LE MONTAGE Sur un plan de travail fariné, abaisser la pâte et découper un cercle de même grandeur que la poêle.
5 Couvrir les oignons de la pâte. Cuire au four environ 30 minutes ou jusqu'à ce que la pâte soit bien dorée. Renverser sur une planche de bois. Prendre soin de décoller les oignons au fond de la poêle. Tailler en pointes. On peut accompagner de crème sure.

RECETTE P246

MIGNONS DE VEAU, SAUCE AU CAFÉ ET AU COGNAC

Préparation 15 MINUTES *Cuisson* 15 MINUTES *Portions* 4

675 g (1 1/2 lb) de mignons de veau (4 tranches épaisses dans le filet)
15 ml (1 c. à soupe) d'huile d'olive
1 échalote française, émincée
1 gousse d'ail, hachée
60 ml (1/4 tasse) de cognac
250 ml (1 tasse) de bouillon de poulet
1 recette de purée de courge butternut (voir recette page suivante)
60 ml (1/4 tasse) de crème 35 %
30 ml (2 c. à soupe) de café espresso
15 ml (1 c. à soupe) de moutarde de Dijon
Sel et poivre

1 Dans une poêle, dorer le veau dans l'huile d'olive jusqu'au degré de cuisson désiré. Réserver sur une assiette au chaud.
2 Dans la même poêle, attendrir l'échalote et l'ail. Ajouter le cognac et laisser réduire de moitié. Ajouter le bouillon, 60 ml (1/4 tasse) de purée de courge, la crème, le café et la moutarde. Porter à ébullition. Cuire jusqu'à ce que la sauce soit sirupeuse. Saler et poivrer.
3 Napper les médaillons de veau de sauce et accompagner des pommes de terre Pont-Neuf (voir recette page suivante). Servir avec le reste de purée de courge.

PURÉE DE COURGE BUTTERNUT

Préparation 20 MINUTES *Cuisson* 25 MINUTES *Portions* 4

1 oignon, haché
2 gousses d'ail, hachées
45 ml (3 c. à soupe) de beurre
1,5 litre (6 tasses) de courge butternut coupée en cubes
250 ml (1 tasse) de bouillon de poulet
Sel et poivre

1 Dans une casserole, attendrir l'oignon et l'ail dans le beurre. Ajouter la courge et poursuivre la cuisson à feu doux environ 5 minutes ou jusqu'à ce que la courge commence à dorer. Ajouter le bouillon. Couvrir et laisser mijoter environ 20 minutes ou jusqu'à ce que la courge soit tendre.
2 Dans le bol du robot culinaire, réduire la courge en purée lisse. Saler et poivrer.

POMMES DE TERRE PONT-NEUF

Préparation 15 MINUTES *Cuisson* 20 MINUTES *Portions* 4

4 pommes de terre Russet, pelées
500 ml (2 tasses) de gras de canard (environ 454 g/ 1 lb)
Sel

1 Couper les pommes de terre en bâtonnets de 1,5 cm (3/4 po) d'épaisseur.
2 Dans un bol, couvrir les pommes de terre d'eau froide. Laisser reposer environ 5 minutes. Égoutter et bien éponger les pommes de terre sur un linge propre.
3 Dans une grande poêle à hauts rebords ou une grande casserole, fondre le gras de canard. Frire les pommes de terre à feu élevé de 15 à 20 minutes en remuant délicatement et fréquemment, jusqu'à ce que les pommes de terre soient dorées. Égoutter sur un papier absorbant. Saler.
4 Délicieux avec les mignons de veau, sauce au café et au cognac (voir recette page précédente) ou les magrets de canard, sauce aux épices et au whisky (voir recette p. 168).

LASAGNE AU FROMAGE BLEU

Préparation 40 MINUTES *Cuisson* 1 H 30 *Portions* 6

Hé, les gars! Pour changer, utilisez du chèvre, du mascarpone ou n'importe quel fromage de caractère.

1 recette de béchamel (voir recette p. 250)
12 pâtes à lasagne, cuites et huilées
500 ml (2 tasses) de fromage mozzarella râpé

Garniture aux épinards et aux champignons
454 g (1 lb) de champignons blancs, coupés en quartiers
60 ml (1/4 tasse) d'huile d'olive
125 ml (1/2 tasse) de vin blanc
3 échalotes françaises, hachées
2 sacs de 171 g (6 oz) d'épinards frais, hachés
Sel et poivre

Garniture au fromage
1 oignon, haché
15 ml (1 c. à soupe) de beurre
150 g (5 oz) de fromage bleu, coupé en cubes
475 g (17 oz) de fromage ricotta
125 ml (1/2 tasse) de basilic frais
1 œuf

1 POUR LA GARNITURE AUX ÉPINARDS ET AUX CHAMPIGNONS Dans une grande poêle, dorer les champignons à feu vif dans 30 ml (2 c. à soupe) d'huile. Saler et poivrer. Ajouter le vin et laisser réduire à sec. Réserver dans un grand bol.
2 Dans la même poêle, attendrir les échalotes dans le reste d'huile. Ajouter les épinards et les faire revenir jusqu'à ce que l'eau soit complètement évaporée. Les incorporer au mélange de champignons et ajouter 125 ml (1/2 tasse) de béchamel. Rectifier l'assaisonnement. Réserver.
3 POUR LA GARNITURE AU FROMAGE Dans une poêle, attendrir l'oignon dans le beurre. Réserver dans un bol et laisser tiédir.
4 Au robot, réduire l'oignon, le fromage bleu, la ricotta, le basilic et l'œuf en purée lisse. Saler et poivrer. Réserver.
5 Placer la grille au centre du four. Préchauffer le four à 190 °C (375 °F).
6 POUR LE MONTAGE Répartir le tiers de la béchamel dans un plat de cuisson de 35 x 20 cm (14 x 8 po). Couvrir d'un rang de lasagnes. Y répartir la garniture aux épinards et aux champignons. Couvrir d'un rang de lasagnes. Répartir la garniture au fromage. Ajouter un rang de lasagnes. Poursuivre avec un tiers de la sauce béchamel. Terminer avec un rang de lasagnes, le reste de la sauce et garnir de mozzarella.
7 Cuire au four de 40 à 45 minutes, puis dorer sous le gril.

BÉCHAMEL

Préparation 5 MINUTES ***Cuisson*** 15 MINUTES ***Rendement*** 750 ML (3 TASSES)

60 ml (1/4 tasse) de beurre
60 ml (1/4 tasse) de farine
750 ml (3 tasses) de lait
1 pincée de muscade
Sel et poivre

1 Dans une casserole, fondre le beurre à feu moyen. Ajouter la farine et cuire 1 minute en remuant. Ajouter le lait en fouettant. Remuer jusqu'à ébullition. Ajouter la muscade. Saler et poivrer. Laisser mijoter doucement 5 minutes en remuant fréquemment pour éviter que la sauce ne colle au fond.

CÔTE DE BŒUF, SAUCE BÉARNAISE

Préparation 30 MINUTES ***Cuisson*** 1 H 30 ***Attente*** 15 MINUTES ***Portions*** 6

Rôti
1 rôti de côte de bœuf de 2,2 kg (4 1/2 lb) désossé et ficelé sur l'os
15 ml (1 c. à soupe) de moutarde à l'ancienne
15 ml (1 c. à soupe) de moutarde de Dijon
15 ml (1 c. à soupe) de beurre fondu
10 ml (2 c. à thé) de cassonade
30 ml (2 c. à soupe) d'huile d'olive
12 carottes de grosseur moyenne
Le blanc de trois petits poireaux, coupés en tronçons de 10 cm (4 po)
3 oignons, coupés en tranches de 1/2 cm (1/4 po)
180 ml (3/4 tasse) de bouillon de poulet
Sel et poivre

Sauce béarnaise
75 ml (1/3 tasse) de vinaigre de vin blanc
1/2 échalote française, hachée
1 ml (1/4 c. à thé) de poivre noir concassé
2 jaunes d'œufs
310 ml (1 1/4 tasse) de beurre fondu, tempéré
15 ml (1 c. à soupe) d'estragon frais ciselé

1 POUR LE RÔTI Placer la grille au centre du four. Préchauffer le four à 190 °C (375 °F).
2 Saler et poivrer le rôti de tous les côtés et le déposer côté os au fond d'une rôtissoire.
3 Dans un bol, mélanger les moutardes, le beurre et la cassonade. Badigeonner sur la viande. Insérer un thermomètre à viande au centre du rôti. Cuire au four 20 minutes.
4 Huiler les carottes, les poireaux et les oignons. Saler et poivrer. Répartir les légumes tout autour du rôti et ajouter le bouillon de poulet. Poursuivre la cuisson environ 1 h 10 ou jusqu'à ce que le thermomètre indique 54 °C (129 °F) pour une cuisson saignante ou 63 °C (145 °F) pour que le bœuf soit à point (*medium*). Réserver le rôti sur une assiette. Couvrir de papier d'aluminium et laisser reposer environ 15 minutes.
5 POUR LA SAUCE BÉARNAISE Dans une casserole, porter à ébullition le vinaigre, l'échalote et le poivre. Laisser réduire jusqu'à ce qu'il reste 30 ml (2 c. à soupe) de liquide.
6 Au bain-marie, fouetter les jaunes d'œufs et la réduction de vinaigre jusqu'à ce que la texture devienne épaisse et mousseuse. Retirer le bol du bain-marie. Verser le beurre en filet en fouettant constamment. Ajouter l'estragon.
7 Déficeler et trancher le rôti. Accompagner de légumes au choix, de sauce béarnaise et d'une bonne purée de pommes de terre.

RECETTE P256

RECETTE P.257

TARTE AUX NOIX ET AU CARAMEL

Préparation 15 MINUTES ***Cuisson*** 35 MINUTES ***Réfrigération*** 1 H 30 ***Portions*** 8 À 10

Pâte sablée
310 ml (1 1/4 tasse) de farine tout usage non blanchie
60 ml (1/4 tasse) de sucre
2,5 ml (1/2 c. à thé) de poudre à pâte
1 ml (1/4 c. à thé) de sel
60 ml (1/4 tasse) de beurre non salé, froid et coupé en dés
1 œuf, légèrement battu
30 ml (2 c. à soupe) d'eau froide, environ

Garniture
60 ml (1/4 tasse) d'eau
375 ml (1 1/2 tasse) de sucre
250 ml (1 tasse) de crème 35 %, chaude
30 ml (2 c. à soupe) de beurre demi-sel
560 ml (2 1/4 tasses) d'un mélange de noix grillées entières
(amandes et noisettes blanchies, pacanes, noix de macadam et noix de Cajou au choix)

1 Placer la grille au centre du four. Préchauffer le four à 180 °C (350 °F).
2 POUR LA PÂTE SABLÉE Dans le bol du robot, mélanger la farine, le sucre, la poudre à pâte et le sel. Ajouter le beurre et mélanger jusqu'à ce que le mélange ait la texture du sable. Ajouter l'œuf et l'eau. Mélanger de nouveau jusqu'à ce que la pâte commence tout juste à se former. Retirer la pâte du robot. Du bout des doigts, presser la pâte dans un moule à tarte à fond amovible de 23 cm (9 po) de diamètre sur 3 cm (1 1/4 po) de hauteur. Cuire au four 25 minutes ou jusqu'à ce que la croûte soit dorée. Laisser refroidir.
3 POUR LA GARNITURE Dans une casserole, porter à ébullition l'eau et le sucre. Cuire sans remuer jusqu'à ce que le mélange prenne une couleur dorée. Hors du feu, ajouter graduellement la crème. Attention aux éclaboussures. Porter de nouveau à ébullition en remuant jusqu'à ce que le mélange soit homogène. Incorporer le beurre et les noix. Laisser refroidir 30 minutes. Verser dans la croûte et réfrigérer jusqu'à refroidissement complet.

BROWNIES ESPRESSO

Préparation 20 MINUTES *Cuisson* 30 MINUTES *Refroidissement* 4 HEURES
Portions 6

180 ml (3/4 tasse) de farine tout usage non blanchie, tamisée
60 ml (1/4 tasse) de cacao, tamisé
1 ml (1/4 c. à thé) de sel
170 g (6 oz) de chocolat mi-sucré, haché
180 ml (3/4 tasse) de beurre non salé, coupé en cubes
250 ml (1 tasse) de sucre
3 œufs
6 petites boules de crème glacée à la vanille
180 ml (3/4 tasse) de café espresso chaud

1 Placer la grille au centre du four. Préchauffer le four à 170 °C (325 °F). Tapisser le fond d'un moule carré de 20 cm (8 po) d'une bande de papier parchemin en le laissant dépasser sur deux côtés et beurrer les deux autres côtés.
2 Dans un bol, mélanger la farine, le cacao et le sel. Réserver.
3 Au bain-marie, fondre le chocolat et le beurre. Retirer le bol du bain-marie. À l'aide d'un fouet, incorporer le sucre. Ajouter les œufs, un à la fois, et fouetter 2 minutes. À la cuillère de bois, incorporer délicatement les ingrédients secs. Répartir dans le moule et cuire de 25 à 30 minutes ou jusqu'à ce que le centre soit pris, mais encore humide.
4 Laisser refroidir dans le moule, soit environ 4 heures. Démouler et couper en petits carrés.
5 Déposer un morceau de brownie dans une tasse, puis une boule de crème glacée et y verser un peu d'espresso.

TARTE RUSTIQUE AUX POMMES, AUX POIRES ET AUX DATTES

Préparation 25 MINUTES *Réfrigération* 30 MINUTES *Cuisson* 50 MINUTES *Portions* 8

Pâte brisée
500 ml (2 tasses) de farine tout usage non blanchie
30 ml (2 c. à soupe) de sucre
1 pincée de sel
180 ml (3/4 tasse) de beurre non salé, très froid, coupé en morceaux
1 œuf
60 ml (1/4 tasse) d'eau glacée, environ

Garniture
6 pommes pelées, épépinées et tranchées
6 poires pelées, épépinées et tranchées
250 ml (1 tasse) de dattes coupées en deux et dénoyautées (de type medjool)
125 ml (1/2 tasse) de sucre ou de cassonade

1 POUR LA PÂTE BRISÉE Dans le bol du robot culinaire, placer la farine, le sucre et le sel. Mélanger quelques secondes. Ajouter le beurre et mélanger quelques secondes à la fois jusqu'à ce qu'il ait la grosseur de petits pois. Ajouter l'œuf et l'eau. Mélanger de nouveau jusqu'à ce que la pâte commence tout juste à se former. Ajouter de l'eau au besoin. Retirer la pâte du robot et former un disque. Couvrir et réfrigérer 30 minutes.
2 Placer la grille dans le bas du four. Préchauffer le four à 190 °C (375 °F). Tapisser le dos d'une plaque à biscuits de 43 x 30 cm (17 x 12 po) de papier parchemin.
3 Sur un plan de travail fariné, abaisser la pâte pour former un rectangle légèrement plus grand que la plaque. Déposer la pâte sur le dos de la plaque. Réfrigérer 30 minutes.
4 POUR LA GARNITURE Dans un bol, mélanger les fruits et le sucre. Étaler les fruits au centre de la pâte jusqu'à environ 8 cm (3 po) du bord. Replier le bord de la pâte vers l'intérieur pour former une tarte d'environ 36 X 23 cm (14 X 9 po).
5 Cuire au four de 45 à 50 minutes ou jusqu'à ce que la pâte soit bien dorée. Laisser refroidir.
6 Au service, glisser la tarte sur une grande planche de bois. Découper la tarte en portions et la servir sur la planche.
7 Accompagner de sauce au caramel, de crème fraîche ou de crème glacée à la vanille.

PAR CATÉGORIES

Boissons et cocktails

Entrées et amuse-gueules

Soupes et potages

Légumes et accompagnements

Sauces

Pâtes

Plats principaux

index
PAR CATÉGORIES

Desserts

Déjeuners

uits de mer +++ Petits pots de crème au chocolat blanc et gelée au fruit de la passio
œuf au vin rouge à la mijoteuse +++ Purée de courge butternut +++ Cabillaud (moru
esto de tomates séchées et graines de citrouille +++ Jarrets d'agneau glacés au mie
isin +++ Ailes de poulet Général Tao +++ Tarte rustique aux pommes, aux poires et a
es +++ Pangasius au lait de coco 5 minutes +++ Dukka +++ Smoothie mangue et frais
ons de veau, sauce au café et au cognac +++ Salade de pamplemousse et d'orang
a twist » +++ Hamburgers doubles à l'américaine +++ Céleri rôti aux 20 gousses d'a
arte courtepointe aux asperges, aux œufs et au jambon +++ Crème de brie et duxel
hampignons +++ Muffins au beurre d'arachides, aux bananes et à la confiture de fra
ôte de bœuf, sauce béarnaise +++ Lasagne au fromage bleu +++ Gâteau au Musca
aisins rouges +++ Banana split à la canneberge confite et au caramel au café +++ C
e topinambours +++ Poissons des chenaux à la meunière +++ Rob Roy +++ Magrets d
rd, sauce aux épices et au whisky +++ Gâteau «chiffon» à la cassonade et salade d
gues à la vanille +++ Chou farci aux trois fromages +++ Salade de crabe et de fraise
n vert +++ Figues rôties au miel et crème glacée aux amandes caramélisées +++ Hu
amplemousse rose +++ Asperges César +++ Beurre noisette à l'estragon +++ Rillettes
e fumée +++ Purée de pommes de terre classique +++ Filets de porc caramélisés à l'é
t à la betterave +++ «Cappuccino» de bœuf et sa mousse de panais +++ Tarte Tatin
non +++ Potage Choisy +++ Sundae brunch (yogourt glacé et granola maison) +++ Pu
hou-fleur +++ Gâteaux à la betterave et crème au mascarpone +++ Flétan grillé et sa
e aux herbes salées +++ Omelette aux têtes de violon +++ Soupe à l'oignon à la bière
Minilégumes rôtis à l'huile d'olive +++ Velouté d'échalotes françaises +++ Pouding au
ets cuit au barbecue +++ Pouding au chocolat +++ Épices à steak de Montréal +++ P
glacé à l'érable et aux pacanes pralinées +++ Tarte paysanne aux pommes et aux p
ruits d'été +++ Pierogis +++ Porc au lait de 4 heures +++ Pâtes à la sauce *puttanesca* +
nes à la Romanoff sans crème +++ Polpettes aux épinards à la sauce tomate +++ Pest
omates séchées et graines de citrouille +++ Brochettes de crevettes au citron et à l'ai
s de poisson croustillant aux Shredded Wheat[MD] +++ Cuisses de poulet au miel et au
s de porc en chapelure de bacon +++ Ailes de raie, sauce au cresson +++ Confiture d
es express au sirop d'érable +++ Baguette au cheddar et à l'oignon +++ Club Sandwi
uner +++ Galettes de sarrasin en burritos +++ Minisandwich Po Boy +++ Pois sucrés a
re +++ Purée de patates douces +++ Poulet aux morilles +++ Beurre bacon-moutarde
are de pétoncles +++ Risotto à quelque chose +++ Minestrone +++ Poulet rôti au foie g
Purée de pommes de terre à la vanille et au poivre rose +++ Côtes levées à la bière +
mes de terre Pont-Neuf +++ Brownies espresso +++ Biscottis à l'érable et aux pacanes
cciatella aux herbes et au poisson +++ Flan portugais au caramel +++ Scones aux co
erges +++ Casserole de cabillaud à la portugaise +++ Cerises griottes flambées +++ V
aux pommes et à l'érable +++ Gâteau aux carottes et au chocolat +++ Soupe au cho
betteraves +++ Minitartes Tatin +++ Beurre au miel et à l'orange +++ Coques à la biè
u chorizo +++ Sundae aux fraises et au vinaigre balsamique +++ Macaroni au froma
Mousse express aux framboises +++ Tarte aux noix et au caramel +++ Le parfait gât
vanille +++ Arancinis à la saucisse +++ Trifle aux poires et au caramel +++ Profiterol
Poireau et céleri vinaigrette +++ Tiramisu sans mascarpone +++ Tartinade de poivro
ges +++ Glaçage à la vanille +++ Pangasius au lait de coco 5 minutes +++ Dukka +++
othie mangue et fraise +++ Mignons de veau, sauce au café et au cognac +++ Salad
nplemousse et d'orange « *with a twist* » +++ Hamburgers doubles à l'américaine +++
ti aux 20 gousses d'ail +++ Tarte courtepointe aux asperges, aux œufs et au jambon
ne de brie et duxelles de champignons +++ Muffins au beurre d'arachides, aux ban
la confiture de fraises +++ Côte de bœuf, sauce béarnaise +++ Lasagne au fromage
Gâteau au Muscat et aux raisins rouges +++ Banana split à la canneberge confite et

index
PAR INGRÉDIENTS

a

Agneau

Asperges

b

Bacon

Beurre

Bœuf

c

Café

Canard

Canneberges

Caramel

Chocolat

e

Érable

f

Fraises

Fromages

index
PAR INGRÉDIENTS

Fruits

Fruits de mer

j

Jambon

l

Lait de coco

Légumes

O

Œufs

P

Pâtes alimentaires

Poissons

Pommes

Pommes de terre

Porc

index
PAR INGRÉDIENTS

Poulet

S

Salades

Sandwichs

Saucisse

t

Tomates

V

Veau

mates séchées et graines de citrouille +++ Brochettes de crevettes au citron et à l'ail
de poisson croustillant aux Shredded Wheat[MD] +++ Cuisses de poulet au miel et au
de porc en chapelure de bacon +++ Ailes de raie, sauce au cresson +++ Confiture de
s express au sirop d'érable +++ Baguette au cheddar et à l'oignon +++ Club Sandwi
ner +++ Galettes de sarrasin en burritos +++ Minisandwich Po Boy +++ Pois sucrés au
e +++ Purée de patates douces +++ Poulet aux morilles +++ Beurre bacon-moutarde +
re de pétoncles +++ Risotto à quelque chose +++ Minestrone +++ Poulet rôti au foie g
urée de pommes de terre à la vanille et au poivre rose +++ Côtes levées à la bière +
nes de terre Pont-Neuf +++ Brownies espresso +++ Biscottis à l'érable et aux pacanes
ciatella aux herbes et au poisson +++ Flan portugais au caramel +++ Scones aux ca
rges +++ Casserole de cabillaud à la portugaise +++ Cerises griottes flambées +++ V
ux pommes et à l'érable +++ Gâteau aux carottes et au chocolat +++ Soupe au cho
etteraves +++ Minitartes Tatin +++ Beurre au miel et à l'orange +++ Coques à la biè
chorizo +++ Sundae aux fraises et au vinaigre balsamique +++ Macaroni au froma
ousse express aux framboises +++ Tarte aux noix et au caramel +++ Le parfait gâte
anille +++ Arancinis à la saucisse +++ Trifle aux poires et au caramel +++ Profiterole
oireau et céleri vinaigrette +++ Tiramisu sans mascarpone +++ Tartinade de poivro
s +++ Glaçage à la vanille +++ Pangasius au lait de coco 5 minutes +++ Dukka +++
thie mangue et fraise +++ Mignons de veau, sauce au café et au cognac +++ Salad
lemousse et d'orange « *with a twist* » +++ Hamburgers doubles à l'américaine +++ C
aux 20 gousses d'ail +++ Tarte courtepointe aux asperges, aux œufs et au jambon +
e de brie et duxelles de champignons +++ Muffins au beurre d'arachides, aux bana
confiture de fraises +++ Côte de bœuf, sauce béarnaise +++ Lasagne au fromage b
âteau au Muscat et aux raisins rouges +++ Banana split à la canneberge confite et
ni au litchi +++ Foie gras au torchon +++ Beurre citron-lime +++ *Chowder* de poisson
its de mer +++ Petits pots de crème au chocolat blanc et gelée au fruit de la passio
euf au vin rouge à la mijoteuse +++ Purée de courge butternut +++ Cabillaud (moru
sto de tomates séchées et graines de citrouille +++ Jarrets d'agneau glacés au miel
sin +++ Ailes de poulet Général Tao +++ Tarte rustique aux pommes, aux poires et a
s +++ Pangasius au lait de coco 5 minutes +++ Dukka +++ Smoothie mangue et fraise
ons de veau, sauce au café et au cognac +++ Salade de pamplemousse et d'orange
a twist » +++ Hamburgers doubles à l'américaine +++ Céleri rôti aux 20 gousses d'a
arte courtepointe aux asperges, aux œufs et au jambon +++ Crème de brie et duxell
ampignons +++ Muffins au beurre d'arachides, aux bananes et à la confiture de fra
ôte de bœuf, sauce béarnaise +++ Lasagne au fromage bleu +++ Gâteau au Muscat
aisins rouges +++ Banana split à la canneberge confite et au caramel au café +++ G
topinambours +++ Poissons des chenaux à la meunière +++ Rob Roy +++ Magrets d
rd, sauce aux épices et au whisky +++ Gâteau «chiffon» à la cassonade et salade d
ues à la vanille +++ Chou farci aux trois fromages +++ Salade de crabe et de fraise
vert +++ Figues rôties au miel et crème glacée aux amandes caramélisées +++ Huî
mplemousse rose +++ Asperges César +++ Beurre noisette à l'estragon +++ Rillettes
fumée +++ Purée de pommes de terre classique +++ Filets de porc caramélisés à l'é
à la betterave +++ «Cappuccino» de bœuf et sa mousse de panais +++ Tarte Tatin
on +++ Potage Choisy +++ Sundae brunch (yogourt glacé et granola maison) +++ Pu
ou-fleur +++ Gâteaux à la betterave et crème au mascarpone +++ Flétan grillé et sa
aux herbes salées +++ Omelette aux têtes de violon +++ Soupe à l'oignon à la bière
inilégumes rôtis à l'huile d'olive +++ Velouté d'échalotes françaises +++ Pouding au
ts cuit au barbecue +++ Pouding au chocolat +++ Épices à steak de Montréal +++ Po
lacé à l'érable et aux pacanes pralinées +++ Tarte paysanne aux pommes et aux p
d'été +++ Pierogis +++ Porc au lait de 4 heures +++ Pâtes à la sauce *puttanesca* +++

NATALY
Brigitte
PIERRETTE
SONIA
Kareen
JULES
CAROLINE
MARYSE
Christian
CAROLINE B.
Carole
ANNE
GINETTE
BENOIT
MARTIN
Christine
françois-nicolas
SYLVAIN
ISABELLE
les goûteuses
ETIENNE

MERCI À MON ÉQUIPE
Ricardo